je fais

tu fais

il fait..

ÉDITION ORIGINALE
Direction éditoriale : Ljiljana Ortolja-Baird
Édition : Jane Warren
Maquette : Bet Ayer

ÉDITION FRANÇAISE
Adaptation : Sylvie Piguet-Menny
avec le concours de Nicolas Blot
Couverture : Astrid Galuska
Coordination : Philippe Brunet

ISBN : 2-87677-365-1
Dépôt légal : 3ᵉ trimestre 1999

Réalisation PHB Paris
Imprimé en France par Partenaires Fabrication

je fais

tu fais

il fait...

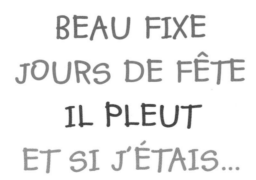

BEAU FIXE
JOURS DE FÊTE
IL PLEUT
ET SI J'ÉTAIS...

SUSIE LACOME

ÉDITIONS Soline

Sommaire

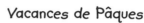

IL PLEUT

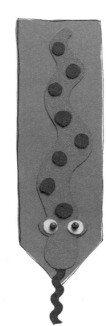

ET SI J'ÉTAIS

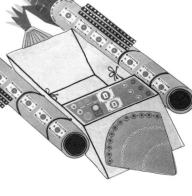

il te faudra

Pour réaliser la plupart des activités proposées dans ce livre, il te suffit d'avoir du carton, du papier, du tissu, du ruban adhésif, de la colle, des ciseaux et de la peinture. Un matériel simple que tu as probablement déjà chez toi. Pour d'autres activités, tu devras récolter des feuilles, des brindilles, du sable, des coquillages et des cailloux dans la nature. Quelques activités seulement nécessiteront un matériel plus spécifique que tu trouveras sans problème dans les papeteries, quincailleries, certaines merceries ou magasins d'art et de décoration.

LA COLLE

La colle utilisée est de type colle blanche (sans solvant), spéciale travaux manuels. Son utilisation est parfaitement adaptée au papier, bristol et carton. Dans certains cas, il faut de la colle forte résistant à l'eau ou colle pour textiles.

LA PEINTURE

De même, pour la peinture, il s'agit toujours d'aquarelle ou de gouache. L'utilisation de toute autre peinture, de type acrylique par exemple, est mentionnée spécifiquement. L'aquarelle et la gouache conviennent parfaitement au bristol et au papier. De plus, il te suffit de rincer les pinceaux à l'eau quand le travail est terminé!

La peinture acrylique est adaptée aux surfaces plastifiées et résiste à l'eau. Si tu n'en as pas, mélange de la colle blanche avec de la gouache. En général, il est recommandé de frotter légèrement la surface à peindre au papier abrasif pour que la peinture adhère mieux.

Ne t'inquiète pas si tu ne trouves pas exactement le matériel demandé (couleur du papier, de la peinture, ou taille exacte du carton). La plupart des activités sont conçues pour être adaptées facilement. La liste de matériel donnée pour chaque activité sert de guide. N'aie pas peur d'improviser, tu seras surpris des résultats!

MATÉRIEL À RÉCOLTER

Boîtes en carton de toutes les tailles
Bristol fin, blanc ou de couleur
Tubes en carton, rouleaux de papier hygiénique ou d'essuie-tout

Papier blanc, de couleur, crépon, d'emballage, de soie
Papier journal
Couvercles et bouchons de toutes sortes
Pots de yaourt ou de fromage blanc
Boîte à œufs
Boîtes d'allumettes
Bouteilles en plastique de toutes tailles

Supports en polystyrène
Bouteilles de lait en plastique
Bouteilles de verre
Ficelle, raphia, ruban, laine
Chutes de mousse, de tissu, de jute
Bobines de fil vides
Chaussettes, collants, vêtements usés
Bouchons de liège
Perles et boutons
Vieux gants de caoutchouc
Sacs en plastique
Bâtonnets de glace

MATÉRIEL À TROUVER CHEZ TOI

Crayon avec une gomme au bout

Règle ou mètre
Feutres (lavables à l'eau)
Aquarelle, gouache, pinceaux
Ciseaux
Ciseaux cranteurs
Ruban adhésif, d'emballage, PVC adhésif haute résistance
Bourrelet ou joint de calfeutrage adhésif
Colle : blanche, forte, bâtons de colle
Cutter
Poinçon
Papier d'aluminium
Pâtes alimentaires de formes différentes
Lentilles et haricots secs
Film étirable transparent
Coton
Tuteurs

Aiguilles à tricoter, à laine, à coudre
Fil à coudre ou coton à broder
Épingles
Épingles de sûreté
Pinces à linge
Ficelle
Papier abrasif ou papier de verre

MATÉRIEL À RÉCOLTER DANS LA NATURE

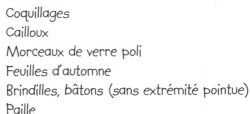

Coquillages
Cailloux
Morceaux de verre poli
Feuilles d'automne
Brindilles, bâtons (sans extrémité pointue)
Paille

MATÉRIEL À ACHETER

Peinture acrylique
Raphia de différentes couleurs
Autocollants de toutes sortes
Œillets
Papier métallisé ou bristol
Toile thermocollante
Sergé coton
Ruban adhésif double face
Papier-calque
Marqueur argent, or, résistant à l'eau
Trombones (de différentes couleurs)
Cure-pipes (de différentes couleurs)
Attaches parisiennes
Fil de fer, fil vert de jardin
Aimants
Gobelets en plastique
Pailles en plastique
Ballons gonflables
Graines, plants

IL TE FAUDRA

7

BEAU FIXE
au jardin

JE FAIS, TU FAIS, IL FAIT...

Jardinière décorée

Tête de cresson

Jardin miniature

Animal végétal

Épouvantail

Parterre fleuri

Tournesol

9

JARDINIÈRE DÉCORÉE

il te faut...

Pour la jardinière aux oiseaux

Jardinière en plastique
Papier de verre
Peinture acrylique
Pinceaux
Papier cache adhésif
Bristol (une feuille)
Crayon avec une
  gomme au bout
Éponge
Ciseaux

Attends que la peinture soit bien sèche avant de déplacer le pochoir (voir page 25)

Choisis des couleurs franches et contrastées.

Peins les jardinières sur les côtés extérieurs seulement!

Ces papillons ont été réalisés en deux étapes : d'abord les ailes, puis le corps, en utilisant des couleurs vives (voir page 25)

JE FAIS, TU FAIS, IL FAIT...

décore la jardinière

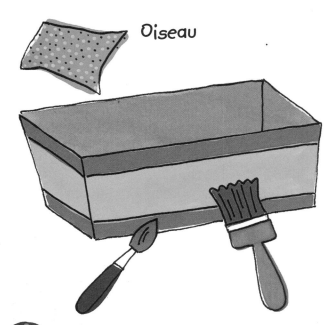

Oiseau

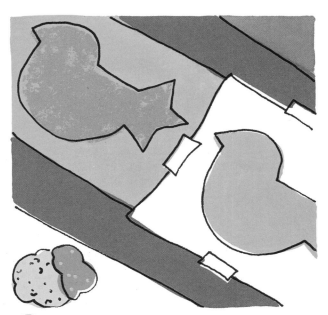

1 Pour que la peinture adhère mieux, frotte légèrement toutes les surfaces extérieures au papier abrasif. Délimite la bordure supérieure, puis inférieure avec du papier cache adhésif. Peins les bordures en bleu, puis le milieu en jaune.

2 Découpe un pochoir oiseau dans du bristol (voir page 251). Décalque un des oiseaux ci-dessus. Poche une rangée d'oiseaux de chaque côté de la jardinière (suis les étapes 3 à 5 de la page 251).

3 Dessine un trait en zigzag au crayon sur la bordure du haut et celle du bas. Repasse-le au pinceau dans une couleur vive.

4 Trempe la gomme au bout de ton crayon dans la peinture et imprime des points sur les oiseaux et sur les bordures.

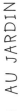

AU JARDIN

11

TÊTE DE CRESSON

il te faut...

Coquilles d'œuf propres, sans le chapeau

Tissu, laine, bouts de papier de couleurs

Rouleaux de papier hygiénique

Bâtonnet de glace, un par œuf

Coton

Graines de cresson

Paillettes, boutons, autocollants

Peinture

Pinceaux

Feutres

Ciseaux

Colle

Choisis des autocollants ronds pour les yeux et une paire d'œillets pour les boucles d'oreilles.

Confectionne la moustache et les sourcils avec des bouts de laine et colle une cravate de tissu sur une chemise en papier.

Guette les feuilles qui poussent, puis goûte-les ou ajoute-les dans la salade!

Des ballons font des belles oreilles et la laine, une jolie queue.

fais pousser du cresson

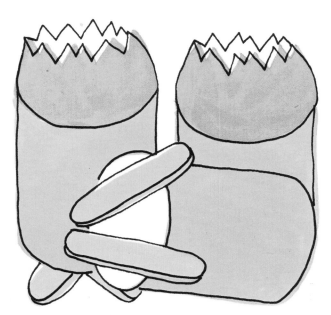

1 Coupe un bâtonnet de glace en deux. Colle les deux morceaux sous le rouleau. Pose la coquille d'œuf comme dans un coquetier.

2 Peins ou dessine un visage. Décore le rouleau en carton avec des autocollants, des boutons et du tissu. Peins les pieds.

3 Mets délicatement du coton à l'intérieur de l'œuf. Humidifie le coton, puis verse des graines de cresson. Place ton bonhomme dans un endroit sombre.

4 Dès que des pousses vertes apparaissent, place ton œuf près d'une fenêtre. Arrose-le un peu chaque jour.

AU JARDIN

JARDIN MINIATURE

il te faut...

Cageot (à fruits)

Bâtonnets de glace coupés en deux

2 perles, 2 boutons

Peinture et pinceaux

Feutres

Pois secs coupés en
    deux ou lentilles

Papier d'aluminium

Papier de couleurs

Brochette en bois
    coupée en deux

Chutes de tissu,
    laine, ficelle

Casier de boîte
    d'allumettes

Allumettes

Bobine de fil,
    bouchon

Trombones

Ombrelle de
    décoration

Ciseaux

Colle

14

Colle des fleurs en papier
à l'intérieur du cageot. Ajoute
du tissu vert à un des angles
pour faire un arbre.

Termine
aux feutres les
détails des fleurs,
du chat, de l'herbe,
de la table et
de la brouette.

Sur le chemin, colle
les petits pois coupés en deux
et les lentilles pour créer
différents reliefs.

Colle les papillons
sur la barrière ou les bords
du cageot.

crée ton jardin miniature

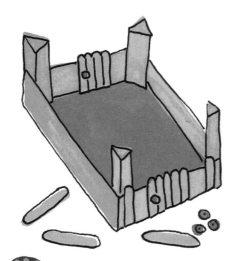

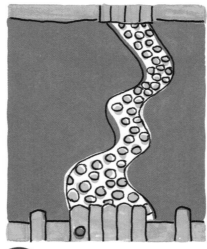

1 Colle les bâtonnets, extrémités rondes vers le haut, à l'intérieur du cageot pour les barrières et les portails. Colle des boutons pour les poignées.

2 Dessine un chemin sur le fond du cageot. Peins-le avec de la colle. Saupoudre-le de pois secs coupés en deux et/ou de lentilles.

3 Peins le reste du fond en vert pour l'herbe. Colle un étang découpé dans du papier d'aluminium. Colle au centre quelques petits poissons découpés dans du papier jaune.

4 Colle une perle à une extrémité de chaque moitié de brochette. Colle-les dans deux angles opposés du cageot. Attache un brin de laine entre les deux. Sur ton fil, étends des vêtements découpés dans des chutes de tissu (voir p. 14)

5 Colle des boutons pour les roues sur la boîte d'allumettes et ajoute deux allumettes pour les poignées. Colle un morceau de tissu sur la bobine et pique l'ombrelle dans le trou du milieu.

6 Pour le chat, peins un bouchon. Colle des allumettes pour les pattes, des oreilles en papier et une queue en laine. Découpe des papillons dans du papier. Tu peux décalquer ceux ci-dessus. Place un trombone au milieu pour le corps.

AU JARDIN

15

ANIMAL VÉGÉTAL

il te faut...

Pour le dinosaure

Fil de fer de jardin
(environ 1 mètre)

Chutes de fil de fer fin

Fil à fusibles ou autre fil de
fer très fin et solide

Pots

Papier

Crayon

Pinces ou tenailles

Débris de pot de fleurs

Terreau

2 petites plantes grimpantes

Attaches de
jardin

Perles

Ciseaux

16

Durant sa croissance, attache la plante au fil de fer pour qu'elle épouse la forme du dinosaure.

L'art topiaire remonte à l'époque des Romains ! Regarde la jolie silhouette en zigzag de cette plante.

Les plantes grimpantes poussent parfaitement bien en suivant une forme de serpent.

Le fil de fer de jardin est très solide et facile à tordre sans pinces. De plus, il ne rouille pas.

fais vivre ton animal

Dinosaure

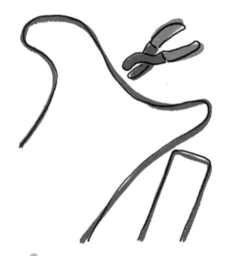

1 Dessine la silhouette d'un dinosaure sur du papier d'environ 40 cm de long et 30 cm de large.

2 À l'aide de pinces, tords ton fil de fer comme ci-dessus. Laisse environ 25 cm de fil à chaque extrémité. Prends un autre bout de fil de fer pour l'intérieur des pattes.

3 Plie du fer en zigzag et attache-le au dos du dinosaure avec du fil à fusibles. Roule du fer fin en escargot et attache-le au sommet de la tête pour faire l'œil.

4 Place ton dinosaure dans le pot. Fais passer les extrémités du fil dans le fond du pot. Replie-les en dessous. Coupe les bouts qui dépassent. Répète l'opération pour l'intérieur des pattes.

5 Mets des débris de pot dans le pot de fleurs, puis remplis-le de terreau. Place une plante grimpante à chaque patte. Attache les premières pousses.

6 Attache un morceau de fil de fer fin autour du pot. Enroule les extrémités autour d'un crayon. Enfile des perles. Ajoute autant de tortillons qu'il te plaira.

AU JARDIN

17

ÉPOUVANTAIL

il te faut...

Tuteurs, 1 de 2 mètres
 et 3 de 1 mètre
Ficelle
Paire de gants en caoutchouc
1 gros pot de fleurs en plastique
Vieux pantalons, chemise avec des
 boutons, un pull élastique
2 boutons
Peinture
 acrylique
Pinceaux
Sacs en
 plastique de couleur
 coupés en lanières
Fil à coudre
Aiguille
Paille
Ciseaux
Colle forte

18

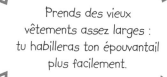

Prends des vieux
vêtements assez larges :
tu habilleras ton épouvantail
plus facilement.

Ne bourre pas
trop l'épouvantail :
juste de quoi remplir
légèrement les vêtements
et les gants.

Pique le tuteur
dans la terre de ton jardin
ou de ton potager. Écoute
le vent agiter les cheveux
de ton épouvantail !

réalise un épouvantail

1 Attache un petit tuteur au grand avec de la ficelle, puis les deux autres petits tuteurs pour les jambes comme sur le dessin. Bourre les gants avec un peu de paille. Attache-les aux bras. Pose le pot de fleurs à l'envers sur le cou. Enfonce le tuteur dans le fond du pot.

2 Habille le tuteur avec la chemise et le pantalon (tu auras d'abord fait un trou entre les jambes). Attache le pantalon aux chevilles. Bourre la chemise et le pantalon de paille. Noue la taille avec de la ficelle. Retire le pot et enfile le pull. Attache les poignets.

3 Colle des boutons sur le pot pour les yeux. Peins un nez, une bouche et des joues avec de la peinture acrylique. Colle des bandes de plastique pour les cheveux et une bande coupée en zigzag pour la barbe.

4 Replace le pot au bout du tuteur. Coupe des petits bouts de plastique. Colle-les ou couds-les sur les bras, les jambes et le corps de l'épouvantail.

PARTERRE FLEURI

il te faut...

Pour le parterre de fraises

Petit coin de terre meuble sans
   mauvaises herbes ni cailloux

Tuteurs

Petit bâton

Ficelle (environ 50 cm)

Graines de tournesol, ou autres

Graines ou plants de salade,
   ciboulette, petits oignons blancs

Paille (un petit sac)

10-12 plants de fraisiers

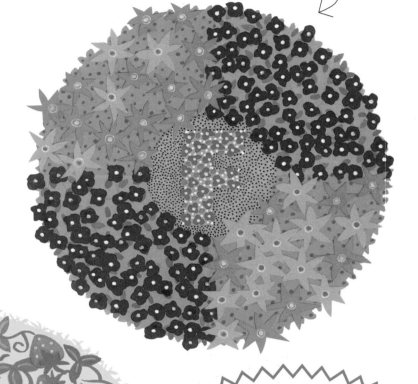

Choisis un mélange
de lobélias violets et de soucis
jaune-orange vif pour la couronne extérieure,
et de lobélias roses
pour l'initiale centrale.

Les fraises des bois sont
petites et très parfumées, mais
tu peux choisir n'importe quelle
autre variété.

La paille protège
les fraises de l'humidité
et de la boue.

compose un parterre de fraises

Fraises

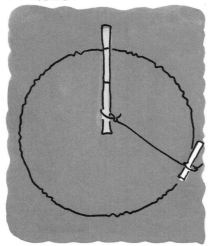

1 Plante le tuteur au milieu de ton coin de terre. Attache un *bout de ficelle* d'environ 25 cm au tuteur et à un petit bâton. Dessine un cercle : la ficelle doit rester bien tendue.

2 Recommence l'opération avec une ficelle de 15 cm. Tu auras ainsi un plus petit cercle à l'intérieur du grand. Partage le petit cercle en quatre.

3 Enfonce une graine de tournesol au centre de la couronne, à côté du tuteur. Attache ton tournesol au tuteur lorsqu'il aura commencé à pousser.

4 Sème des graines de salade dans les deux quartiers opposés et des graines de ciboulette dans les deux autres. Tu peux aussi acheter des plants, tes salades pousseront plus vite.

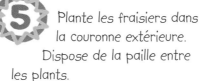

5 Plante les fraisiers dans la couronne extérieure. Dispose de la paille entre les plants.

6 Arrose et retire régulièrement les mauvaises herbes. Coupe la ciboulette et remplace les salades au fur et à mesure.

AU JARDIN

21

TOURNESOL

JE FAIS, TU FAIS, IL FAIT...

Choisis des couleurs et des grosseurs de ficelles différentes pour les fleurs.

Colle ou attache une ou deux feuilles. Tu peux ajouter un escargot sur la tige, ou tout seul sur un autre tuteur.

Peins la ficelle à la peinture acrylique pour changer la couleur.

il te faut...

Polystyrène, ou supports de pizza

Différentes ficelles, cordes

Peinture acrylique

Pinceaux

Vernis

Bourrelet ou joint de calfeutrage adhésif

Ruban adhésif double face

Tuteurs

Perles

Attaches

Ciseaux

Colle forte

Pique les tournesols et les escargots dans le jardin pour égayer l'hiver. Tu pourras aussi t'en servir comme tuteurs.

crée un tournesol

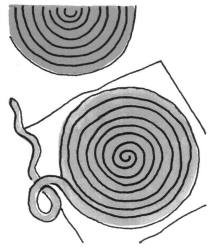

1 Colle du ruban double face sur un carré de polystyrène de 6 cm de côté. Enroule de la ficelle sur la partie collante du carré. Découpe le polystyrène autour de la ficelle.

2 Découpe deux formes de fleur dans du polystyrène. Peins-les en rouge ou jaune. Colle un cœur (en ficelle) au centre de chacune d'elle. Vernis la fleur.

3 Colle le tuteur, ou attache-le avec du ruban adhésif.

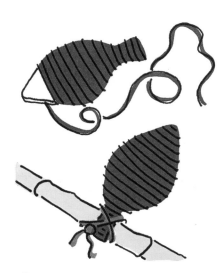
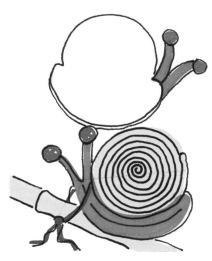

4 Colle un ruban double face sur une feuille découpée dans du polystyrène. Enroule de la ficelle verte tout autour. Vernis-la et attache-la au tuteur.

5 Colle un morceau de ficelle pliée en deux pour le corps de l'escargot, et une coquille en ficelle sur une base en polystyrène. Vernis-le. Colle des perles au bout des antennes.

6 Pique ton tournesol à côté d'une plante d'appartement, ou dans un pot pour en profiter toute l'année. L'escargot peut aussi servir à décorer le pot.

AU JARDIN

23

BEAU FIXE
vive le vent

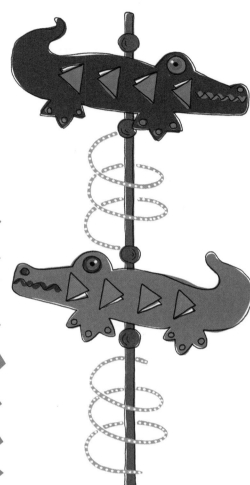

Moulinet

Petit cerf-volant

Mobile en papier mâché

Carillon

Avions

Gare au dragon !

Girouette crocodile

MOULINET

il te faut...

Pour le petit moulin jaune à pois

Papier jaune, de 10 à 18 cm de côté

Papier vert

Règle

Feutres

Autocollants

Épingle

Petite perle

Paille en plastique

Morceau de bouchon

Ciseaux

Pour que ton moulinet soit plus joli, décore les deux faces du carré de papier avec des motifs différents.

Place une fleur au centre du moulinet, et une sur chacun des angles repliés. L'autre face est rouge, mouchetée de pois jaunes.

Le moulinet ne doit pas être trop serré contre la perle, la paille et le bouchon. Assure-toi qu'il puisse tourner librement!

réalise ton moulinet

À pois rouges

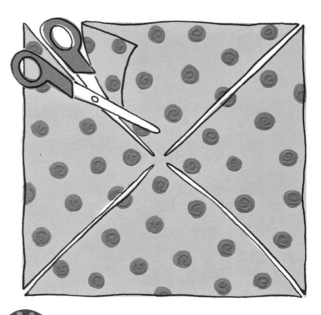

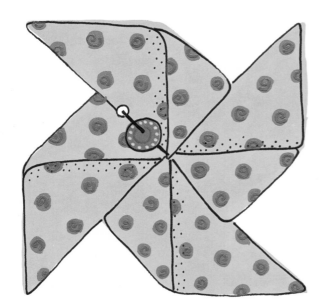

1 Décore le papier des deux côtés avec des feutres et des autocollants. Trace deux diagonales avec ta règle.

2 Coupe les diagonales jusqu'à 1 cm du centre. Replie un angle sur deux vers le centre.

3 Découpe un petit rond d'environ 1,5 cm de diamètre dans du papier vert. Enfonce une épingle au milieu, puis dans chacun des angles repliés.

4 Fais tourner le moulinet. Passe une perle dans l'épingle, puis dans l'extrémité de la paille. Enfonce-la ensuite dans le bouchon. Assure-toi que le moulinet tourne librement !

VIVE LE VENT

27

PETIT CERF-VOLANT

il te faut...

Papier épais de couleur (environ 30 cm de côté)

Grande feuille de papier de couleur

Peinture

Pinceaux

Autocollants

Grosse ficelle (environ 10 mètres)

3 autocollants carrés

ou ruban

adhésif

Perforatrice

Ciseaux

Ces cerfs-volants sont conçus pour voler par petit vent. Si le vent souffle trop fort, ils risquent de se déchirer!

Décore ton poisson volant de taches très colorées. N'oublie pas de lui mettre un gros œil perçant!

Place des petits nœuds de papier crépon tout le long de la ficelle. Fixe-les avec un point de colle.

Il est important de renforcer le trou qui retient la ficelle, sinon le papier risque de se déchirer.

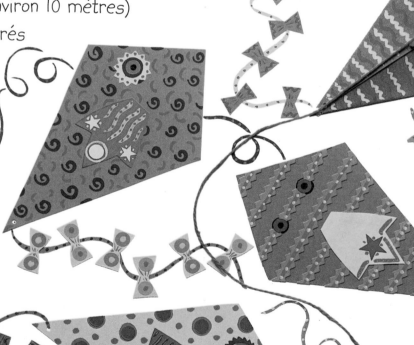

fabrique un petit cerf-volant

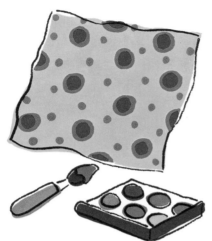

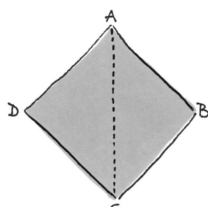

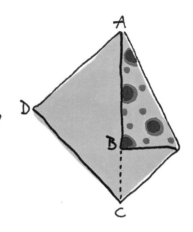

1 Décore le papier des deux côtés avec de la peinture ou des feutres.

2 Plie ton carré en deux en suivant la diagonale AC. Ouvre ton carré.

3 Plie AB, puis AC comme sur la figure ci-dessus. Marque bien les plis.

4 Colle un autocollant carré à la pointe du cerf-volant. Fais un trou avec la perforatrice. Attache une ficelle de 1 mètre. Fais des nœuds en papier crépon de 3 x 6 cm.

5 Renforce les deux coins pliés avec des autocollants. Fais un trou dans chaque coin. Passe une ficelle comme sur le dessin. Attache-la.

6 Retourne ton cerf-volant. Dessine un gros œil et une nageoire. Maintenant, essaie de faire voler ton poisson !

VIVE LE VENT

MOBILE EN PAPIER MÂCHÉ

il te faut...

Pour le mobile des oiseaux

Carton ondulé d'environ 20 x 25 cm

Cutter (attention!)

Vieux journaux coupés
 en petits morceaux

Peinture

Feutres

Autocollants

Papier cadeau

Papier coupé en petits
 triangles (isocèles)

Vernis

Aiguille à tricoter fine

Ficelle (75 cm environ)

Aiguille à laine

Colle diluée avec de l'eau

Colle

C'est à toi
de choisir la
longueur du mobile.
Il te suffit d'ajouter
des oiseaux
et des perles
sur la ficelle.

Le soleil, la lune
et les étoiles sont en papier
mâché recouvert de papier
métallisé or ou argent, puis
décoré de paillettes.

Dessine des motifs
sur le papier métallisé à l'aide
d'un stylo à bille.

Peins les oiseaux
des deux côtés. Tu peux
aussi les recouvrir de
papier cadeau.

30

confectionne un mobile

Oiseaux

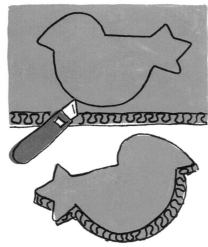

1 Découpe au cutter 5 ou 6 formes d'oiseaux dans du carton ondulé (les ondulations doivent être verticales). Demande à un adulte de t'aider.

2 Applique une couche de papier journal sur les oiseaux en utilisant la colle diluée (voir page 245). Couvre les deux côtés.

3 Peins les oiseaux ou colle du papier de couleur. Décore l'oiseau avec des autocollants ou des gommettes. Dessine le bec, les yeux et les ailes au feutre. Vernis.

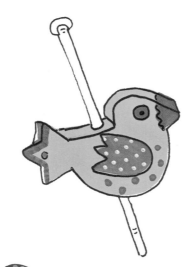

4 Confectionne des perles en roulant des morceaux de triangles en papier autour de l'aiguille à tricoter. Colle la pointe de chaque triangle. Retire l'aiguille lorsque la colle est sèche. Peins et vernis les perles.

5 Passe délicatement l'aiguille à tricoter au milieu de chaque oiseau entre deux ondulations du carton.

6 Fais une boucle au bout de la ficelle. À l'aide d'une aiguille à laine, enfile alternativement un oiseau, une perle sur la ficelle. Fais un nœud sous chaque oiseau et chaque perle.

VIVE LE VENT

31

CARILLON

Il n'est pas nécessaire d'utiliser une perceuse pour confectionner ce carillon : la plupart des coquillages que tu trouves sur la plage ont déjà des trous. Tu attacheras avec de la ficelle ceux qui n'en ont pas.

Compose des rangées de différentes longueurs et suspends des objets plus longs (couteaux ou petits morceaux de bois) pour donner un peu plus de poids à ton carillon.

Le verre, les coquillages et la porcelaine s'entrechoquent sous la brise et produisent un joli cliquetis.

Il te faut...

Coquillages, plumes, bouchons et petits morceaux de bois
Branche, morceau de bois ou tuteur

Morceaux de porcelaine ou de verre cassés, polis par l'eau et le sable
Ficelle, corde
Grosse aiguille à laine

32

réalise un carillon

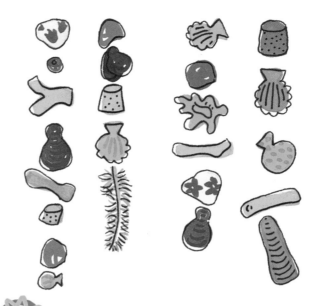

1 Attache une ficelle de 50 cm de long au milieu de la branche. Elle te servira à suspendre le carillon.

2 Dispose coquillages, bouchons, bouts de bois, verre et porcelaine polis en rangées de longueurs différentes.

3 Si nécessaire, demande à un adulte de perforer les coquillages et le bois. Perce les bouchons avec une aiguille. Passe la ficelle dans les objets, ou attache-les simplement.

4 Attache ces ribambelles d'objets à la branche. Suspends ton carillon et déplace les rangées jusqu'à ce que le support reste horizontal.

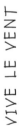

33

AVIONS

il te faut...

Polystyrène, ou support
  de pizza
Cutter (attention !)
Peinture
Pinceaux
Feutres
Autocollants
Mastic ou
    blue-tack

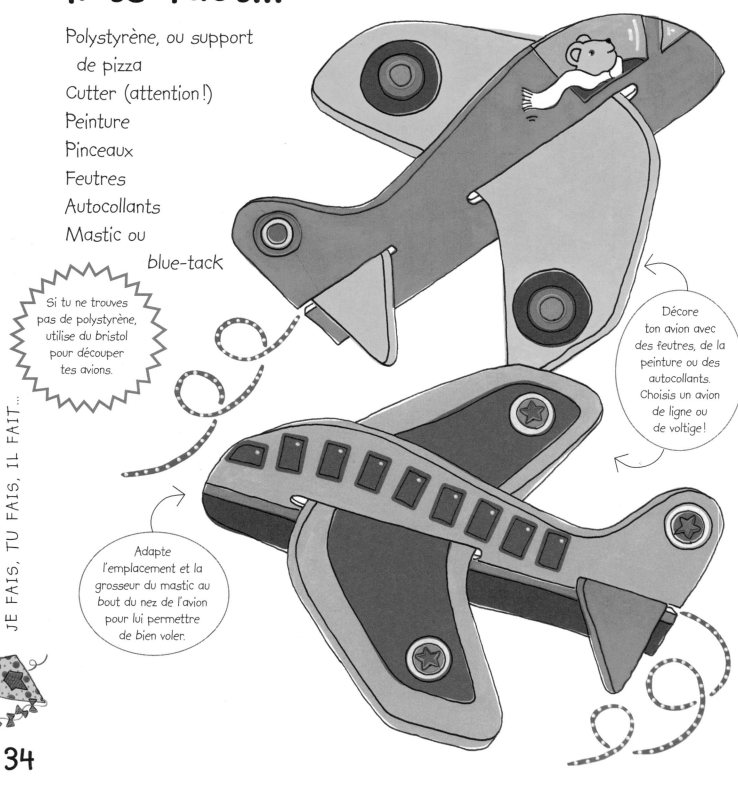

Si tu ne trouves
pas de polystyrène,
utilise du bristol
pour découper
tes avions.

Décore
ton avion avec
des feutres, de la
peinture ou des
autocollants.
Choisis un avion
de ligne ou
de voltige !

Adapte
l'emplacement et la
grosseur du mastic au
bout du nez de l'avion
pour lui permettre
de bien voler.

construis un avion

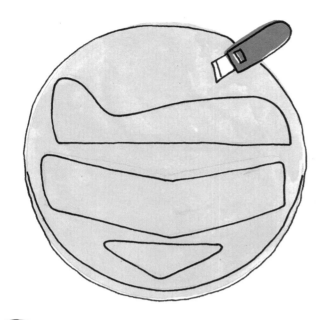

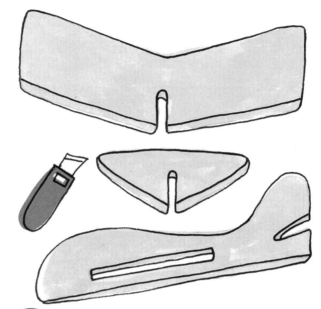

1 Découpe les trois parties de l'avion dans du polystyrène en suivant le modèle de la page 253. (Demande à un adulte de t'aider!)

2 Fais une entaille dans le corps, l'aile et la queue de l'avion. Coupe une fente dans le corps de l'avion comme sur l'image ci-dessus.

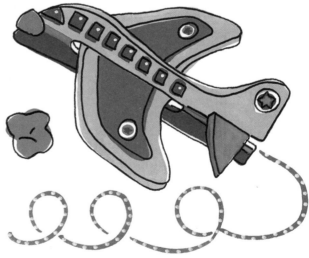

3 Peins chaque partie d'un seul côté. Laisse sécher avant de peindre l'autre. Décore-le avec des autocollants (fenêtres, ailes et queue).

4 Passe les ailes dans la fente du corps. Insère la queue à l'arrière. Colle un petit morceau de mastic sur le nez de l'avion.

GARE AU DRAGON!

il te faut...

5 tuteurs (sans extrémité pointue)

Raphia de différentes couleurs

2 sacs en plastique orange

Grande feuille plastique souple (dans les jardineries ou centres de bricolage)

Feutres résistant à l'eau ou peinture acrylique

Bourrelet ou joint de calfeutrage adhésif

Ciseaux

Colle

Pique les tuteurs dans un coin du jardin où les oiseaux et les chats font des dégâts. Le vent se chargera du reste!

Pour allonger la queue du dragon, utilise un plus grand nombre de tuteurs et d'autres plastiques.

Dessine une expression terrifiante à ton dragon et pare-le de couleurs voyantes!

crée un dragon

1 Dessine la figure du dragon sur une feuille de plastique. Découpe-la. Peins-la avec de la peinture acrylique ou des feutres résistant à l'eau.

2 Coupe une fente pour la bouche. Découpe une langue dans du plastique et peins-la en rouge. Glisse-la dans la fente et colle-la avec du ruban adhésif.

3 Colle des touffes de raphia derrière la tête du dragon pour les cheveux et derrière le menton pour la barbe.

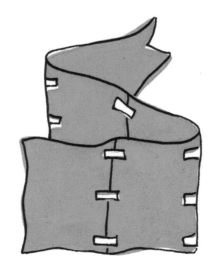

4 Accroche un tuteur de chaque côté de la tête. Dissimule les extrémités des tuteurs dans les cheveux de raphia.

5 Agrafe les feuilles de plastique ensemble pour la queue. Coupe la dernière feuille en V.

6 Place et fixe un tuteur à chaque intersection des feuilles de plastique. Coupe des banderoles en plastique et agrafe-les aux tuteurs et à la queue.

VIVE LE VENT

GIROUETTE CROCODILE

il te faut...

3 berlingots de lait

Tuteurs fins

6 perles assez
   grosses pour
   être enfilées
   sur le tuteur

Peinture acrylique
   verte et bleue

Pinceaux

Feutres résistant à l'eau

Vernis

Paille en plastique
   coupée en
   morceaux de
   3 cm de long

Cutter (attention !)

Ciseaux

Colle

38

Si tu ne trouves pas de billes assez grosses, enroule un morceau de bourrelet adhésif autour du tuteur, juste au-dessous et au-dessus des crocodiles.

Replie chaque triangle à la verticale pour une meilleure prise au vent.

Peins chaque crocodile avec une couleur différente en faisant ressortir les détails à l'aide d'une couleur contrastée.

fabrique une girouette

① Dessine la forme d'un crocodile sur le berlingot. Recommence trois fois.

② Dessine 4 triangles sur chaque crocodile, 2 devant et 2 derrière. Coupe deux côtés de chaque triangle au cutter (demande à un adulte de t'aider). Replie-le sur le troisième côté.

③ Peins les deux faces du crocodile. D'un seul côté, peins les nageoires, la gueule, les pattes et les yeux. Vernis.

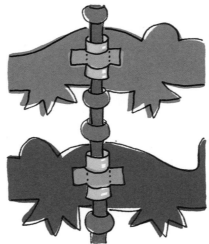

④ Fixe un morceau de paille derrière chaque crocodile avec du ruban adhésif.

⑤ Glisse les crocodiles sur le tuteur entre deux perles. Colle les perles.

⑥ Pique le tuteur dans la terre. Le vent va souffler et faire tourner les crocodiles!

VIVE LE VENT

BEAU FIXE
jeux d'eau

JE FAIS, TU FAIS, IL FAIT...

Radeaux de liège

Pêche
miraculeuse

Xylophone
aquatique

Port miniature

41

RADEAUX DE LIÈGE

il te faut...

Pour les radeaux

4 bouchons

Papier de couleurs, petites feuilles

Autocollants

2 pailles en plastique

Cutter (attention!)

Ciseaux

Colle forte résistant
  à l'eau

Décore
les voiles
avec des couleurs
vives et ajoute
des drapeaux
en papier.

Tu peux
coller les mâts
sur n'importe quel
bouchon.

Les canards
sont en papier
peint, piqués
sur des piques
en bois.

construis un radeau

1 Colle les bouchons ensemble. Maintiens-les fermement jusqu'à ce que la colle sèche.

2 Découpe deux voiles carrées dans du papier, de la longueur d'un bouchon environ. Découpe deux drapeaux. Décore-les avec des autocollants.

3 Au milieu des voiles, coupe deux fentes comme sur le dessin. Passe une paille dans les fentes. Colle un drapeau au sommet du mât.

4 Fais une entaille au centre de deux bouchons. Coupe les pailles à la bonne hauteur. Aplatis l'extrémité coupée et pousse-la dans la fente. Colle les mâts.

PÊCHE MIRACULEUSE

il te faut...

Boîtes en plastique, cartons de lait

Peinture acrylique

Pinceaux

Feutres résistant à l'eau

5 bouchons

Cutter (attention !)

Bouts de fil de fer

Mastic ou pâte à modeler

Tuteurs

Ficelle (1 mètre environ)

Cuvette pleine d'eau

Ciseaux

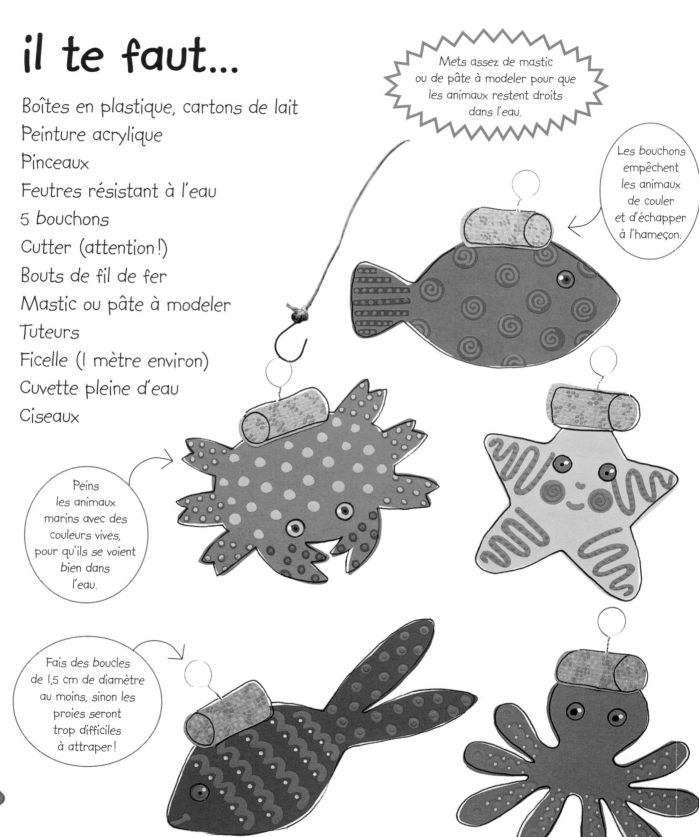

Mets assez de mastic ou de pâte à modeler pour que les animaux restent droits dans l'eau.

Les bouchons empêchent les animaux de couler et d'échapper à l'hameçon.

Peins les animaux marins avec des couleurs vives, pour qu'ils se voient bien dans l'eau.

Fais des boucles de 1,5 cm de diamètre au moins, sinon les proies seront trop difficiles à attraper !

prépare la pêche

1 Dessine un crabe, une étoile de mer, une pieuvre et deux poissons dans une boîte en plastique ou un carton de lait. Découpe-les aux ciseaux.

2 Décore-les avec de la peinture acrylique ou des feutres résistant à l'eau. N'oublie pas les deux côtés.

3 Fais une entaille au cutter dans chaque bouchon (demande à un adulte de t'aider). Enfonce un animal dans chaque bouchon.

4 Fais une boucle avec du fil de fer fin. Entortille les extrémités ensemble. Enfonce la pointe dans le bouchon.

5 Place un ou deux petits morceaux de mastic ou de pâte à modeler dans la partie inférieure de chaque animal, afin qu'il reste à la verticale dans l'eau.

6 Fais un crochet avec un bout de fil de fer, attache-le à la ficelle, puis à l'extrémité du tuteur. Jette tous les animaux dans l'eau!

XYLOPHONE AQUATIQUE

il te faut...

6 bouteilles en verre de même taille
Perles et coquillages
Raphia et bouts de ficelle
Fil de fer fin
Encre bleue ou verte,
  colorant alimentaire
Cuillère
Pot
Ciseaux
Colle

Remplis les bouteilles bleues ou vertes uniquement avec de l'eau.

Frappe doucement les bouteilles avec la cuillère pour entendre les différents sons.

Ton carillon aura un aspect plus attrayant si chaque bouteille à une couleur différente.

compose un carillon

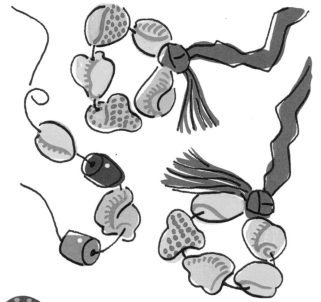

① Colle des perles ou des coquillages sur les bouteilles. Tu peux aussi décorer les bouteilles en enfilant des perles ou des coquillages sur de la ficelle ou du raphia.

② Autre décoration : enfile des coquillages sur du fil de fer. Attache les deux bouts pour faire un anneau. Attache l'anneau à du raphia, puis autour de la bouteille.

③ Mets de l'encre ou des colorants alimentaires dans un pichet d'eau. Dose plus ou moins les quantités pour varier les couleurs.

④ Aligne les bouteilles. Verse un peu d'eau dans la première bouteille, un peu plus dans la suivante, etc. La dernière bouteille doit être presque pleine.

JEUX D'EAU

PORT MINIATURE

il te faut...

Grande cuvette en plastique bleue ou
verte

Peinture acrylique, pinceaux

Feutres résistant à l'eau

Bouteille plastique

2 boîtes de margarine avec couvercles

Boîte de fromage blanc ou pot de yaourt

Allumettes

Autocollants

Perle rouge

Polystyrène,
support de
pizza

Bristol fin, papier orange
et gris

Papier métallisé argent

Coton à broder noir

Petits cailloux, sable

2 bouchons rouges

2 bouchons de liège

Vieux bouchons
blancs de
feutres

Cutter
(attention!)

Ciseaux

Colle

48

Attention,
ne mouille pas
les petits pingouins
et le phare sous
peine de diluer
les motifs !

Il est plus
facile de coller
les allumettes
et le coton noir
séparément, comme
une échelle. Tu la
colleras ensuite
autour
du phare.

Tu peux
utiliser n'importe
quelle boîte en plastique
pour la base du bateau
ou du phare.

Pas trop
d'eau dans la
cuvette ! Verse
juste ce qu'il faut
pour que baleine
et bateau
flottent.

Lorsque tu
auras terminé le
phare, le bateau
et les baleines,
place-les dans
la cuvette, puis
verse l'eau.

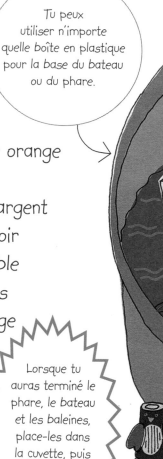

construis ton port miniature

1 Commence à 6 cm du bas de la bouteille. Peins-la en rouge et blanc. Prends des autocollants pour faire la porte et les fenêtres.

2 Peins le pot de yaourt en jaune. Dessine le quadrillage au feutre. Retourne le pot et colle-le au sommet de la bouteille. Colle la perle au sommet du pot. Colle des allumettes autour de la bande noire, et du fil noir pour le garde-fou.

3 Dessine le contour de la bouteille sur le couvercle de la boîte. Découpe-le. Peins la boîte et le couvercle en marron. Mets des cailloux dans la boîte, remets le couvercle et enfonce la bouteille au milieu. Place ton phare dans la cuvette.

4 Découpe deux trous pour les cheminées dans le couvercle de l'autre boîte. Peins la boîte en blanc et les hublots en vert. Colle de la fumée en polystyrène. Place les cheminées dans les trous.

5 Découpe deux baleines dans du bristol. Recouvre-les de papier métallisé. Avec le cutter, coupe une fente dans la longueur de chaque bouchon (demande à un adulte de t'aider). Glisse une baleine sur chaque bouchon.

6 Peins les vieux bouchons de feutre en noir, en laissant un ovale blanc. Peins les yeux et le bec. Découpe les pattes dans du papier orange et les ailes dans du papier gris. Colle-les sur les bouchons.

 JEUX D'EAU

49

BEAU FIXE
jouons maintenant !

Quilles
pingouins

Le chien a faim

Jeu de
massacre

Bilboquet

Corde à sauter

51

QUILLES PINGOUINS

il te faut...

10 bouteilles en plastique avec
  couvercles, de la même taille

Sac plastique ou gants de caoutchouc

Peinture acrylique

Pinceaux

Feutres

Broc

Sable (facultatif)

Petite balle

Le sable ou l'eau permet de stabiliser les bouteilles avant de lancer la balle.

Ajoute une pupille au feutre dans chaque œil. Pour t'amuser, tu peux orienter différemment le regard de chaque pingouin.

Peins les bouchons : le jeu n'en sera que plus coloré !

crée ton jeu de quilles

1 Peins un ventre ovale et blanc sur chaque bouteille. Peins le cou de chaque bouteille en blanc. Laisse sécher.

2 Peins le reste de la bouteille en noir. Attention de ne pas salir le blanc ! Laisse sécher.

3 Peins ou dessine au feutre un nœud rouge, un bec orange, des yeux bleus/verts et des pupilles noires.

4 Découpe le sac en plastique pour faire les deux pattes de chaque pingouin. Colle-les sous la bouteille. Dessine des ailes au feutre.

5 Remplis un quart de la bouteille avec du sable ou de l'eau. Essaie de ne pas mouiller la peinture. Remets les bouchons et visse-les bien serrés.

6 Regroupe les quilles. Lance la balle : quel est ton score ?

JOUONS MAINTENANT !

LE CHIEN A FAIM

Assure-toi que la gueule du chien est assez large pour avaler les os remplis de haricots!

Appuie ton carton contre un mur ou contre deux pots de fleurs.

Tu peux aussi lancer une balle de tennis à la place des os remplis de haricots.

Tu peux aussi confectionner de simples petits sacs et les remplir de haricots.

JE FAIS, TU FAIS, IL FAIT...

il te faut...

Carton épais,
  24 cm de côté environ
Crayon
Cutter (attention!)
Peinture, pinceaux
Haricots secs

Jute ou tissu,
  16 cm de côté environ
Fil à coudre
Aiguille
Ciseaux cranteurs
Colle

réalise un chien et des os

1 Dessine un cadre autour du carton, et un chien avec une bouche de 7,5 cm de diamètre environ. Découpe la bouche au cutter (demande à un adulte de t'aider).

2 Peins le chien, le fond et le cadre. Copie le modèle ci-dessus ou crée ton propre dessin.

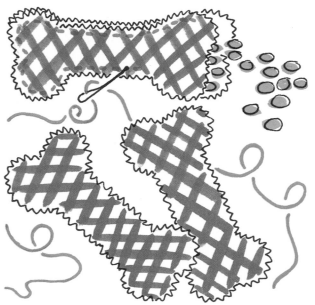

3 Découpe deux oreilles dans de la toile de jute. Colle le premier tiers de chaque oreille sur le carton.

4 Découpe deux os dans du tissu avec des ciseaux cranteurs. Couds-les ensemble. Laisse un espace pour les remplir de haricots secs. Termine la couture.

JOUONS MAINTENANT !

55

JEU DE MASSACRE

il te faut...

6 canettes de boisson gazeuse,
   propres et vides
Haricots secs
Ruban adhésif
Bristol fin
Peinture acrylique
Pinceaux
Feutres
Autocollants
2 pots de fleurs
2 longs tuteurs
Balle de tennis

56

Utilise de la peinture acrylique pour la couche de fond et des feutres pour le plumage des perroquets.

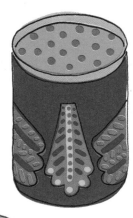  

Peins ou dessine les yeux. Tu peux aussi utiliser des autocollants ou des gommettes.

Si tes parents te l'autorisent, décore les pots de fleurs avec de la peinture acrylique.

Lance la balle pour faire tomber les perroquets de leur perchoir.

réalise perroquets et perchoir

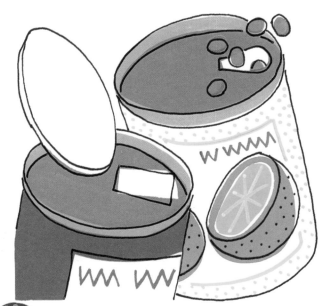

1 Découpe 6 ronds de diamètre égal à celui de la canette dans du bristol. Mets une poignée de haricots dans chaque canette. Colle du ruban adhésif sur le trou. Colle le rond sur la canette.

2 Peins les canettes. Peins les ronds de bristol d'une autre couleur. Laisse sécher.

3 Peins ou dessine les yeux, le bec, les ailes et la queue des perroquets. Décore les couvercles.

4 Pose les tuteurs à 5 cm de distance sur les pots de fleurs renversés. Place les perroquets sur leur perchoir.

JOUONS MAINTENANT !

BILBOQUET

il te faut...

Pour un *bilboquet*

2 pots de yaourt, propres et vides

Peinture

Pinceaux

Feutres

Mousse ou feutrine

Autocollants

Papier cache adhésif

Ruban ou galon

Papiers colorés

Balle de ping-pong

Aiguille à laine ou
   à tricoter

Ficelle ou corde de
   50 cm de long

Ciseaux

Colle

Lance la balle et essaie de la rattraper dans le gobelet!

Cette drôle de petite figure a des oreilles pointues en mousse et une moustache en plastique.

La ficelle est solidement attachée par un nœud dissimulé dans le pot supérieur.

fabrique un bilboquet

1 Peins les pots de yaourt. Fais des dessins ou utilise des autocollants. Colle un nez et des yeux en mousse ou en feutrine.

2 Colle les deux pots ensemble. Mets du ruban adhésif autour de la base des deux pots pour qu'ils restent solidement attachés. Colle par-dessus du ruban ou un galon.

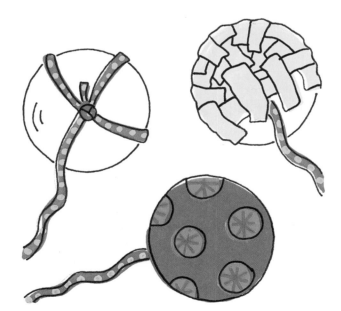

3 Attache la ficelle autour de la balle. Colle du papier cache adhésif sur toute la balle. Recouvre le nœud. Peins la balle, décore-la.

4 Fais un trou dans le fond des deux pots avec l'aiguille. Passe la ficelle dans le trou et fais un nœud solide.

JOUONS MAINTENANT !

59

CORDE À SAUTER

il te faut...

Cordon synthétique de 4 couleurs
différentes :
3 longueurs de 2 mètres
dans 3 couleurs
Pour la quatrième couleur, une petite
longueur suffit
Perles en bois
Ciseaux

Cette corde
à sauter est arrêtée
à chaque extrémité
par un cordon
et des perles
jaunes.

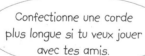

Souviens-toi
que les cordons une fois
tressés sont beaucoup plus
courts, alors prends de
grandes longueurs :
il est toujours possible
de les couper.

Confectionne une corde
plus longue si tu veux jouer
avec tes amis.

JE FAIS, TU FAIS, IL FAIT...

60

réalise une corde à sauter

1 Attache les trois cordons ensemble à une des extrémités. Laisse dépasser environ 25 cm au-dessus du nœud.

2 Accroche le nœud à un crochet ou à la poignée d'une armoire. Tresse les cordons en les maintenant bien tendus.

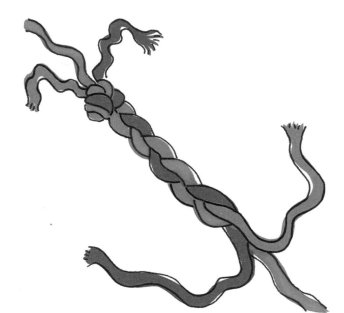

3 Arrête ta tresse à 25 cm du bout. Attache les trois cordons ensemble.

4 Passe des billes au bout de chaque cordon. Fais un nœud pour les maintenir en place. Attache un brin de cordon juste en dessous du nœud. Écarte les brins des extrémités pour faire un pompon.

61

JOURS DE FÊTE
anniversaires

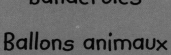

Banderoles

Ballons animaux

Gobelets

Chapeaux

Surprises

Tee-shirts
d'anniversaire

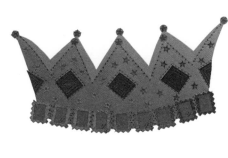

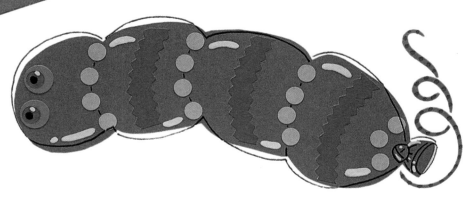

BANDEROLES

Les triangles renforcent le papier et empêchent la ficelle de le déchirer.

Pour donner plus d'éclat à ta banderole, utilise un marqueur or, des autocollants et du papier doré.

Use de ton imagination et amuse-toi à faire des chapeaux et des couronnes différentes.

La banderole peut être de la longueur que tu désires : il te suffit d'ajouter des carrés ou des rectangles.

il te faut...

Papier de couleurs variées

Grandes feuilles de papier métallisé

Raphia, laine ou chutes de tissu d'environ 15 cm de long

Laine, ficelle ou raphia d'environ 3 mètres

Autocollants

Feutres

Perforatrice

Ciseaux

Colle

64

fabrique une banderole

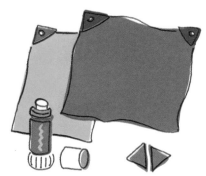

1 Découpe 8 carrés de 18 cm de côté et 8 rectangles de 12 x 18 cm dans du papier de différentes couleurs.

2 Découpe 16 petits carrés de 4 cm de côté dans du papier de couleur. Coupe-les en 2 pour obtenir des triangles. Colle un triangle à chaque coin supérieur des carrés et des rectangles. Fais un trou avec la perforatrice.

3 Découpe 8 couronnes et 8 cônes dans du papier métallisé et de couleur. Si nécessaire, décalque les modèles page 70.

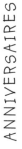

4 Colle une couronne au milieu de chaque grand carré et un cône dans chaque rectangle. Attention, les coins renforcés de triangles doivent être en haut !

5 Colle quelques brins de raphia, de laine ou de tissu au sommet des cônes. Décore les couronnes et les chapeaux avec des autocollants. Tu peux aussi dessiner des motifs au feutre ou coller de petits morceaux de papier.

6 Passe de la laine ou de la ficelle dans les trous des angles en alternant les carrés (couronnes) et les triangles (cônes).

ANNIVERSAIRES

BALLONS ANIMAUX

il te faut...

Pour le ballon chat orange

Ballon gonflable orange

Laine ou ruban étroit
   (environ 75 cm de long)

Autocollants ronds verts
   ou jaunes

Chutes de mousse

Paille jaune

Tissu ou papier
   orange

Colle ou ruban
   adhésif double face

Feutres

Ciseaux

Deux ballons blancs avec des taches dessinées au feutre noir pour les oreilles de ce dalmatien.

Un nœud papillon autour du cou... et ce bâtard a un air de chien de race !

Les oreilles et le nez de ce cochon sont découpés dans de la mousse rose; ses yeux sont des autocollants.

Un long ballon vert fait une superbe chenille verte. Il te suffit d'ajouter des autocollants pour les yeux. Tu lui dessineras ensuite une robe à ton goût.

crée un ballon animal

Chat orange

 Gonfle le ballon et fais un nœud sous lequel tu attaches un brin de laine ou un ruban.

2 Colle des autocollants pour les yeux et un rond de mousse pour le nez. Dessine les pupilles et la bouche au feutre.

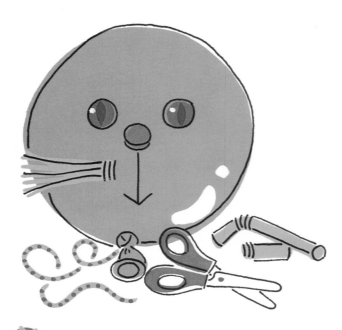

3 Pour les moustaches, coupe la paille au milieu de la partie coudée. Garde environ 7,5 cm de long en dessous du coude. Coupe la paille en deux dans le sens de la longueur. Coupe 6 à 8 brins comme sur le dessin. Colle la partie coudée de la paille sur le ballon.

4 Découpe deux oreilles dans du tissu ou du papier. Colle un ovale de mousse blanche sur chaque oreille. Colle les oreilles sur le ballon.

67

GOBELETS

il te faut...

Pour le gobelet grenouille

Gobelet en carton

Paille

Papier vert foncé, vert clair,
  orange, jaune

Autocollants ronds jaunes

Peintures

Pinceaux

Feutres

Cutter (attention !)

Ciseaux, ciseaux cranteurs

Colle

Deux petites perles au bout de deux bandes de papier sont idéales pour les antennes de l'escargot.

Pour faire les fleurs, dessine les contours des deux extrémités du gobelet.

Les ailes de l'abeille sont découpées dans du papier de soie bleu.

68

crée un gobelet grenouille

1 Découpe le corps de la grenouille, la tête, les pattes de devant dans du papier vert foncé et les pattes de derrière dans du papier vert clair.

2 Colle les pattes vert clair derrière le corps de la grenouille. Colle des autocollants jaunes pour les yeux. Termine les détails de l'animal au feutre. Colle la grenouille sur le gobelet.

3 Découpe deux ronds différents dans du papier, comme sur le dessin. Avec les ciseaux cranteurs, découpe le plus petit rond et colle-le sur le plus grand.

4 Fais deux entailles dans le centre de la fleur au cutter (demande à un adulte de t'aider). Passe la paille dans les fentes.

CHAPEAUX

il te faut...

Pour le chapeau pointu

Bristol fin de couleur, d'environ 40 cm
  de côté

Papiers de différentes couleurs

Papier de soie de couleurs
  différentes, coupé en fines lanières

Autocollants étoiles ou gommettes

Fil élastique, environ 40 cm

Aiguille à laine

Crayon

Ciseaux cranteurs

Ciseaux

Colle, ruban adhésif
  double face ou
  agrafeuse

Pour les plumets,
plie plusieurs bandes
de papier de soie en
deux et maintiens le pli
avec un autocollant.

Pour la couronne,
découpe une bande de
bristol doré en zigzag.

Agrafe l'élastique
de chaque côté
du chapeau,
de préférence
à l'intérieur.

Pour que
ta couronne brille,
décore-la
avec des
autocollants
ou des
paillettes.

fabrique un chapeau

Cône

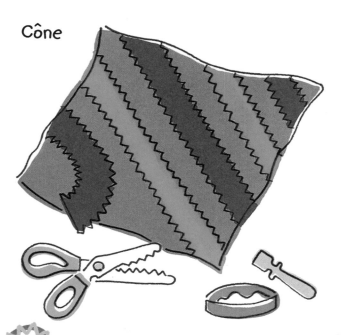

1 Découpe des bandes de papier de couleur aux ciseaux cranteurs. Colle les bandes sur le carré de bristol, comme sur le dessin.

2 Trace le contour d'une assiette sur le bristol. Découpe le rond aux ciseaux, puis retire un quart du cercle comme sur le dessin (voir page 246).

3 Décore le bristol avec des autocollants et des plumets de papier de soie (voir page 249). Oriente les plumets comme sur le dessin.

4 Colle ou agrafe le bristol en cône, ajusté à ton tour de tête. Colle un gros plumet au sommet. Fais un trou de chaque côté du chapeau à l'aide d'une aiguille. Passe un élastique dans chaque trou et fais un nœud à l'extérieur.

SURPRISES

il te faut...

Pour le lapin aux oreilles pendantes

Papier bleu, de 15 x 40 cm

Papier crépon rose pâle d'environ 10 cm
de côté

Papier crépon rose foncé, 2 bandes
de 1,5 x 8 cm

2 ballons roses

Raphia, 2 longueurs d'environ
40 cm

6 autocollants ronds et bleus

Feutres

Mousse

Perforatrice

Ciseaux cranteurs

Ciseaux

Colle

Ce chien a une tache en papier crépon marron sur l'œil, et sa langue pendante est un ballon rouge.

Réalise l'anse avec une lanière de mousse.

Crée les sachets selon le thème de l'anniversaire : ce décor de fleur s'adapte à toutes les fêtes.

Si tu veux, peins un petit bout de mousse pour le nez avant de le coller.

Ce tracteur a été découpé dans du papier de couleur. Sa roue arrière est faite d'un papier de bonbon.

72

réalise un sac à surprises

Lapin aux oreilles pendantes

1 Plie le papier bleu en deux. Coupe les deux extrémités avec des ciseaux cranteurs. Colle un ovale de papier crépon rose pâle. Colle deux ballons roses pour les oreilles.

2 Colle des autocollants pour les yeux et un nez en mousse. Dessine la bouche au feutre.

3 Coupe les bouts de papier crépon en bandes très fines, d'environ 1,5 cm de long. Colle les moustaches de chaque côté de la bouche.

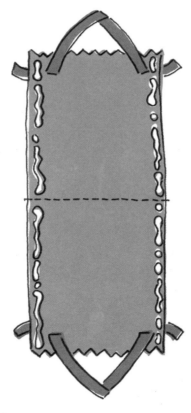

4 Renforce les trous prévus pour les anses avec des autocollants, à l'intérieur du sac. Fais quatre trous avec la perforatrice. Passe du raphia, de la ficelle ou du ruban pour les anses.

5 Ouvre le sac et mets de la colle sur les bords.

6 Referme le sac. Attends que la colle sèche. Tu peux aussi ajouter des agrafes pour le renforcer.

TEE-SHIRTS D'ANNIVERSAIRE

il te faut...

Pour le tee-shirt numéro 5

Un tee-shirt de coton

Tissu jaune de 25 cm de côté environ

Tissu écossais de 25 cm
  de côté environ

Toile thermocollante (voir page 248)

4 boutons

Papier

Fil à coudre

Aiguille et épingle

Fer à repasser (fais
  bien attention!)

Confectionne un tee-shirt pour le porter à ton anniversaire, ou pour offrir à un ami.

Choisis le tissu qui te plaît. Prends des couleurs bien contrastées afin que le chiffre se détache du fond.

Découpe un rond de tissu en forme de pétales. Applique par-dessus un rond de tissu écossais.

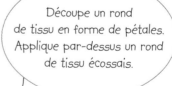

JE FAIS, TU FAIS, IL FAIT...

74

crée un tee-shirt d'anniversaire

N° 5

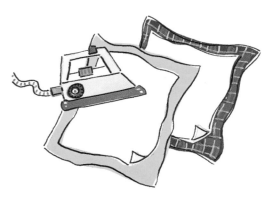

1 Applique de la toile thermocollante sur l'envers du tissu jaune et du tissu écossais (voir page 248). Demande à un adulte de t'aider.

2 Découpe le tissu jaune aux dimensions du tee-shirt. Coupe les bords aux ciseaux cranteurs.

3 Découpe dans du papier le chiffre que tu veux appliquer sur le tissu écossais. Fixe-le avec des épingles. Découpe tout autour.

4 Place soigneusement le chiffre en tissu au milieu du tissu jaune. Passe le fer chaud par-dessus pour qu'il colle au tissu jaune. Demande à un adulte de t'aider.

5 Retire le papier derrière le tissu jaune. Place le tissu jaune sur le tee-shirt. Repasse au fer chaud pour qu'il colle au tee-shirt.

6 Couds un bouton à chaque coin du carré jaune, en traversant toutes les épaisseurs. Tu peux aussi coller les boutons.

ANNIVERSAIRES

JOURS DE FÊTE

Vacances de Pâques

JE FAIS, TU FAIS, IL FAIT...

Guirlande de Pâques

Jeu d'adresse

Arbre en pâte à sel

Œufs couronnés

Œufs décorés

Chapeaux de Pâques

GUIRLANDE DE PÂQUES

il te faut...

Pour la guirlande aux canetons

Papier blanc, une bande
de 10 x 54 cm

Crayons, feutres

Peinture, pinceaux

Ciseaux

Pour une très longue guirlande, agrafe deux bandes de papier ensemble. Tu peux aussi prévoir une très longue bande de papier.

Découpe et retire délicatement le papier sous le bec des canards.

Le nez et la queue des lapins restent joints là où les papiers sont pliés.

fabrique une guirlande

Canetons

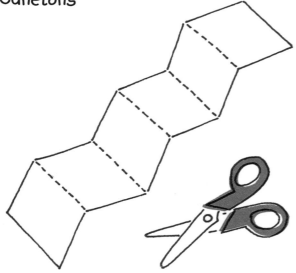

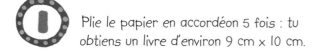

1 Plie le papier en accordéon 5 fois : tu obtiens un livre d'environ 9 cm x 10 cm.

2 Dessine un caneton au crayon sur la première page. Le ventre, le bec et la queue doivent toucher les bords. Découpe la partie supérieure du caneton dans toutes les épaisseurs du papier.

3 Ouvre la guirlande : tu as maintenant 6 canetons. Dessine les ailes, les yeux et le bec.

4 Colorie les canetons et leur mare avec de la peinture ou des feutres.

JEU D'ADRESSE

il te faut...

Pour le jeu d'adresse œuf de Pâques

Boîte à fromage avec un couvercle
  en plastique transparent

Polystyrène

Peintures

Pinceaux

Feutres

5 pois ou haricots secs

Ruban étroit, 25 cm de long environ

Film étirable

Crayon

Ciseaux

Le nombre de pois que tu mets dans la boîte doit correspondre au nombre de trous

Amuse-toi à décorer le couvercle et la boîte avec de la peinture ou des feutres.

Si tu ne trouves qu'une boîte de camembert, retire la partie centrale et tends un morceau de film étirable à la place pour ne pas perdre les pois.

Secoue la boîte et essaie de mettre les pois dans les yeux des lapins, tous en même temps!

crée un jeu d'adresse

Œuf de Pâques

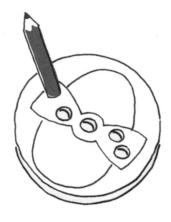

1 Pose la boîte sur du polystyrène et dessine tout autour. Découpe le rond. Dessine un œuf de Pâques avec un nœud sur le polystyrène.

2 Marque l'emplacement de 5 trous sur le nœud avec un crayon pour faire un creux.

3 Décore l'intérieur et l'extérieur de la boîte. Décore également le couvercle.

4 Peins l'œuf de Pâques. Place-le à l'intérieur de la boîte.

5 Mets 5 pois secs dans la boîte. Remets le couvercle. Colle du ruban adhésif tout autour.

6 Confectionne un petit nœud. Colle-le sur le bord de la boîte.

ARBRE EN PÂTE À SEL

il te faut...

Carton

Pâte à sel (voir page 252)

Petites branches

Pot de fleur

Ruban large, environ 1 m de long

Petits cailloux pour
  remplir le pot

Coton à broder
  ou ruban,
    environ 1 mètre

Peintures

Pinceaux

Rouleau à pâtisserie

Couteau

Broche

Crayon

Ciseaux

Le nombre d'œufs nécessaires dépendra de la taille de la branche que tu auras choisie.

Pour la décoration, laisse-toi guider par ton imagination.

Colle le ruban sur le pot pour l'empêcher de glisser.

Cale bien la branche avec les petits cailloux.

décore ton arbre de Pâques

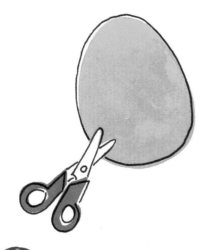

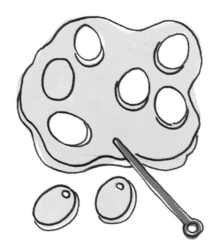

1 Dessine un œuf au crayon sur du bristol. Découpe-le.

2 Roule la pâte à sel sur une épaisseur de 0,5 cm. Utilise l'œuf dessiné sur le carton comme modèle. Découpe des œufs dans la pâte à sel. Fais un trou dans chaque œuf à l'aide d'une brochette. Mets-les à cuire (voir page 252).

3 Laisse refroidir les œufs. Peins-les des deux côtés. Laisse sécher.

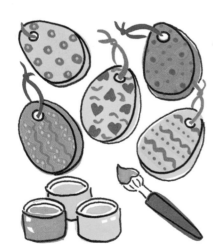

4 Décore les œufs. Passe du coton perlé ou du ruban dans chacun des trous et fais une boucle.

5 Peins la branche en bleu ciel. Il est nécessaire de passer plusieurs couches.

6 Peins le pot en jaune. Passe un ruban tout autour et fais un nœud. Remplis le pot de cailloux et suspends les œufs.

ŒUFS COURONNÉS

Pour faire les boucles d'oreilles de la reine, attache une paillette au bout d'un fil, puis enfile des petites perles. Colle l'extrémité du fil à l'œuf.

Confectionne les couronnes à ton idée. Tu peux aussi copier celles qui te plaisent sur cette page.

Pour les cheveux, coupe des petits morceaux de raphia ou de laine.

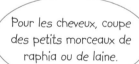

Couvre la tête de papier coleur. Colle deux petites nattes de laine. Ajoute de jolis nœuds!

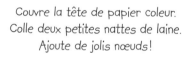

il te faut...

Pour le roi

Œuf dur

Tube de carton, 3 cm de haut environ

Papier doré d'environ 4 x 15 cm

Papier de soie noir en petites bandes

Peinture, pinceaux

Feutres

Autocollants ronds, paillettes

Ciseaux

Colle ou ruban adhésif

réalise un œuf couronné

Le roi

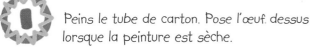

1 Peins le tube de carton. Pose l'œuf. dessus lorsque la peinture est sèche.

2 Mets des autocollants pour les yeux, et dessine un nez et des joues au feutre.

3 Colle des bandes de papier de soie pour les cheveux. Colle des petits bouts de papier plus courts pour la moustache.

4 Découpe une couronne dans du papier doré. Décore-la de paillettes et d'autocollants. Agrafe les extrémités aux dimensions de l'œuf. Colle-la sur la tête de l'œuf.

ŒUFS DÉCORÉS

Pour obtenir cet effet moucheté, trempe une brosse à dents dans la peinture et passe doucement ton doigt sur les poils de la brosse.

Imprime des points au hasard ou compose un dessin.

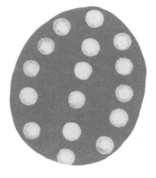

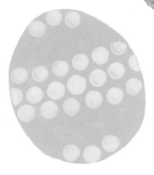

Applique des petits morceaux de papier de soie de différentes couleurs.

Colle un cœur en papier de soie rose foncé sur un œuf recouvert de papier rose pâle. Offre-le à quelqu'un que tu aimes bien!

il te faut...

Pour l'œuf moucheté

Œuf dur

Peinture et pinceaux

Vieille brosse à dents

Papier journal

Pour l'œuf à pois

Œuf dur

Peinture et pinceaux

Crayon avec une gomme
   au bout

**Pour l'œuf recouvert
   de papier de soie**

Œuf dur

Papier de soie de couleur

Pinceau

Colle diluée avec de l'eau

décore les œufs de Pâques

Œuf moucheté

1 Mets des vieux journaux sur ta surface de travail. Peins l'œuf.

2 Trempe la brosse dans de la peinture d'une couleur différente de celle du fond. Passe ton doigt sur les poils de la brosse pour donner un effet moucheté.

Œuf à pois

1 Peins ton œuf.

2 Trempe la gomme du crayon dans la peinture. Imprime des points sur l'œuf.

Œuf papier de soie

1 Découpe un grand nombre de petits triangles de papier de soie.

2 Colle-les sur l'œuf avec un pinceau trempé dans de la colle diluée. Continue ainsi jusqu'à ce que l'œuf soit complètement recouvert.

CHAPEAUX DE PÂQUES

il te faut...

Pour le chapeau aux poussins

Carton

Bristol vert, environ 45 cm de côté

Bristol rouge, environ 20 cm de côté

Papier crépon vert, environ
20 cm de côté

Ruban, deux longueurs
de 35 cm

Pelote de laine jaune

Autocollants bleus

Feutre noir

Agrafeuse ou ruban
adhésif

Ciseaux

Colle

Tes poussins seront plus drôles si tu colles les pattes selon des angles différents.

Pour le chapeau aux lapins, colle un trio de lapins gris. Décalque ceux que tu vois sur le dessin.

Les moustaches, le nez et l'intérieur des oreilles sont en papier crépon.

crée un chapeau de Pâques

Poussins

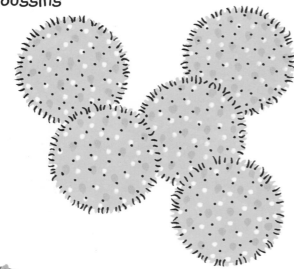

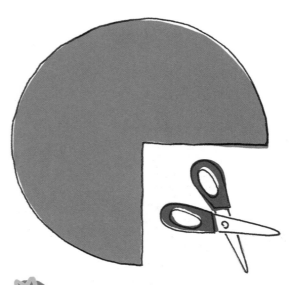

1 Confectionne cinq pompons jaunes (voir page 250). Tu en feras dix si tu veux des pompons des deux côtés du chapeau.

2 Découpe un rond suivant le diamètre d'une assiette dans du bristol vert (voir page 246). Colle ou agrafe le cône.

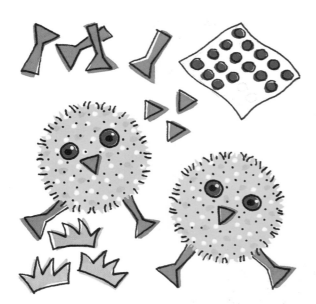

3 Découpe deux pattes et un bec dans du bristol rouge. Colle-les aux poussins et ajoute des autocollants pour les yeux. Découpe des petites touffes d'herbe dans du papier crépon.

4 Colle les poussins sur le chapeau. Colle l'herbe entre les poussins. Agrafe un ruban à l'intérieur du chapeau, de chaque côté.

Halloween

Lampes
fantômes

Mobile
de Halloween

Squelette articulé

Sacs à bonbons

Lanterne citrouille

Monstres feuillus

91

LAMPES FANTÔMES

il te faut...

Pour la lampe au chat

Pot en verre (bocal ou pot à confiture)

Papier de soie orange ou jaune, déchiré
  en petits morceaux

Papier noir de 10 cm de côté

Ficelle, raphia ou corde,
  1 m de long environ

2 perles

Crayon

Pinceau

Petite bougie

Ciseaux

Colle diluée
  à l'eau

Choisis n'importe
quelle couleur de papier de soie pour
décorer les lampes, mais découpe les
silhouettes dans du papier noir. L'effet
sera plus impressionnant !

Pour créer un ciel étoilé,
recouvre le bocal de papier bleu foncé
et de papier de soie noir. Colle un
croissant de lune et des étoiles
jaunes ou pailletés.

Découpe des araignées
dans du papier noir et dispose-les
sur le bocal.

crée une lampe

Chat

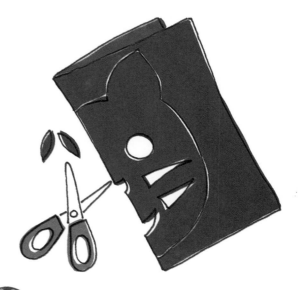

1   Colle des bandes de papier de soie sur le pot avec de la colle diluée et un pinceau.

2   Plie le papier noir en deux. Dessine la moitié d'une tête de chat comme sur le dessin ci-dessus. Découpe les yeux, le nez, la bouche, les moustaches et le contour de la tête. Découpe deux pupilles.

3   Colle la tête du chat et les pupilles sur le pot. Entoure le pot avec une ficelle. Passe une perle aux deux extrémités d'une ficelle de 75 cm de long, puis glisse-les sous la ficelle qui entoure le pot.

4   Mets une petite bougie dans le pot. Porte ta lampe par la ficelle ou suspends-la à un arbre.

HALLOWEEN

93

MOBILE DE HALLOWEEN

il te faut...

Carton

Papier journal déchiré
  en petits morceaux

Papier rouge et orange

Peinture

Pinceaux

Feutres

Poils d'une
  vieille brosse

Laine ou fil, 5 longueurs
  de 15 cm chacune

Autocollants ronds, bleus
  et étoiles

2 petites perles

2 petits boutons

Aiguille à laine

Crayon

Ciseaux

Colle

Colle
  diluée
  à l'eau

Il est préférable de coudre les yeux du chat et sa bouche.

Suspends ton mobile par une boucle de laine.

L'intérieur des oreilles de la chauve-souris et le croissant de lune du chapeau sont découpés dans du papier orange.

Ajoute les détails aux feutres.

Plus les pattes seront longues, plus l'araignée sera effrayante !

fabrique un mobile

1 Découpe un chat, une citrouille, un chapeau de sorcière et une araignée dans du bristol. Tu peux décalquer les modèles ci-contre.

2 Applique des petits morceaux de papier journal avec un pinceau trempé dans la colle diluée (voir page 245). Laisse sécher.

3 Peins tous les éléments en blanc. Laisse sécher. Peins ensuite le chat et l'araignée en noir, la chauve-souris en gris, le chapeau en orange et la citrouille orange et vert.

4 Pour le chat, colle des boutons pour les yeux, les poils de brosse pour les moustaches, du papier rouge pour le nez et l'intérieur des oreilles. Colle des morceaux de papier noir pour la citrouille. Colle les moustaches de la chauve-souris et des autocollants pour les yeux.

5 Colle des étoiles et une lune en papier sur le chapeau. Colle des perles pour les yeux de l'araignée. Plie quatre longues bandes de papier noir en accordéon pour les pattes.

6 Prends un brin de laine. Passe l'aiguille dans l'araignée, le chapeau, la citrouille, etc. Fais une boucle au bout de la laine.

HALLOWEEN

95

SQUELETTE ARTICULÉ

il te faut...

Bristol blanc, 2 grandes feuilles

Crayon blanc ou pastel blanc

Peinture noire ou encre

Pinceau

13 attaches parisiennes

Laine ou ficelle, 30 cm environ

Aiguille à laine

Crayon

Ciseaux

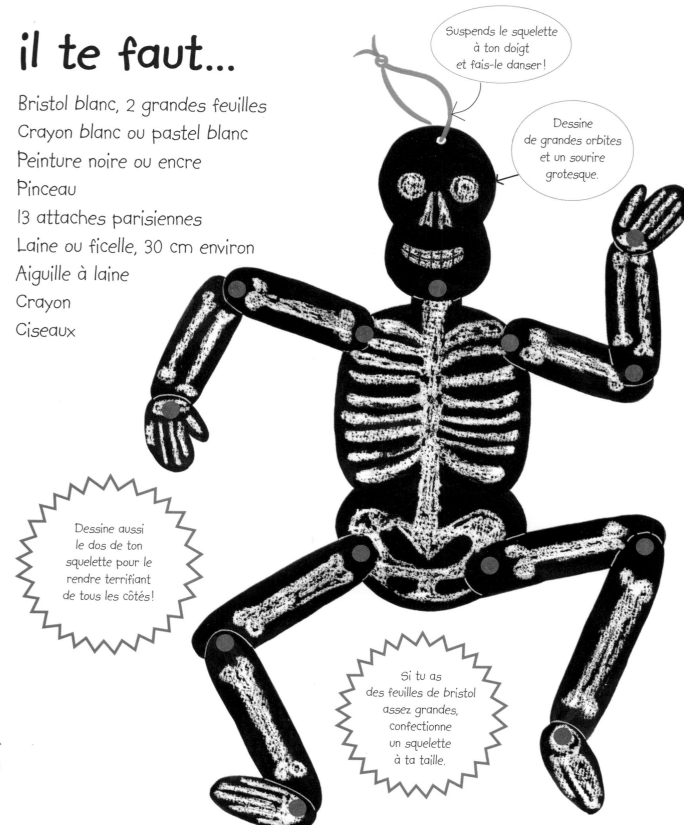

Suspends le squelette à ton doigt et fais-le danser !

Dessine de grandes orbites et un sourire grotesque.

Dessine aussi le dos de ton squelette pour le rendre terrifiant de tous les côtés !

Si tu as des feuilles de bristol assez grandes, confectionne un squelette à ta taille.

crée un squelette articulé

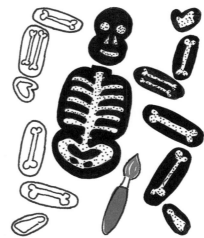

1 Dessine les différentes parties du squelette au crayon sur du bristol blanc. Il te faut une tête, un corps, les bras en 4 parties, 2 mains, les jambes en 4 parties et 2 pieds. Découpe-les.

2 Dessine ensuite les os, les orbites et une bouche au crayon. Colorie-les au pastel ou au crayon blanc.

3 Peins les différentes parties en noir. (La peinture n'adhère pas au pastel blanc, et le squelette restera visible.)

4 Reconstitue le squelette. Fais un trou à l'aide d'une aiguille là où les membres sont reliés.

5 Mets une attache parisienne dans chaque trou.

6 Fais un trou au sommet du crâne et passe un bout de laine. Fais une boucle pour suspendre ton squelette.

SACS À BONBONS

Les deux parties du sac en forme de chapeau de sorcière sont collées ensemble. Décore-le de petites étoiles.

Le chat a des yeux jaunes avec des pupilles noires. Peins son nez et colle des moustaches en papier crépon.

il te faut...

Pour le sac à la citrouille

Papier crépon orange,
   20 x 30 cm environ

Papier crépon vert,
   30 cm de côté environ

Papier crépon noir, 5 x 10 cm environ

Raphia, 2 longueurs
   de 40 cm chacune

4 autocollants ronds ou carrés

Crayon

Perforatrice

Ciseaux

Colle

Renforce les trous des anses avec des œillets ou des autocollants. Une fois plein de bonbons, le sac risquerait de se déchirer !

confectionne un sac

Citrouille

1 Plie le papier crépon orange en deux. Il doit mesurer environ 20 x 15 cm. Colle les côtés ensemble.

2 Découpe deux feuilles et une tige dans du papier crépon vert. (Tu peux copier le modèle de la page 98). Colle les feuilles sur les bords supérieurs du sac.

3 Découpe 3 triangles pour les yeux et le nez dans du papier noir. Découpe aussi une série de dents. Colle-les sur le sac.

4 Colle des autocollants ou des œillets à l'intérieur du sac, à l'emplacement des anses. Passe du raphia dans les trous et fais les nœuds à l'extérieur du sac.

LANTERNE CITROUILLE

il te faut...

Pour la figure

Citrouille

Cutter (attention !)

Cuillère

Crayon

Clous de girofle

Rondelles d'orange
    séchées
    (voir page 246)

Brochette métallique

Laine ou ficelle,
    environ 1,50 m

Aiguille à laine

Bougie
    (chauffe-plats)

Découpe des rondelles d'orange et fais-les sécher doucement dans un four tiède ou sur le radiateur.

Place les boucles d'oreilles au niveau des joues.

Tu peux aussi découper des étoiles et des lunes dans ta citrouille : elle aura un style différent !

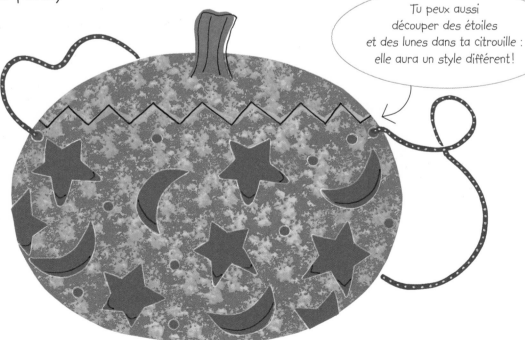

réalise une lanterne

Visage

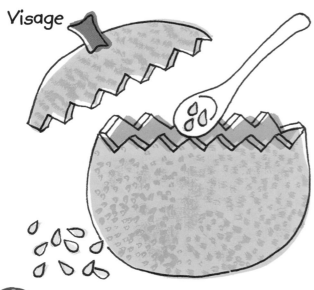

1 Découpe le chapeau de la citrouille au cutter. (Demande à un adulte de t'aider). Mets le couvercle de côté. Retire la chair et les pépins de la citrouille.

2 Dessine les yeux, le nez, la bouche et des étoiles pour les joues. Découpe les yeux, le nez et la bouche au cutter (demande à un adulte de t'aider). Enfonce les clous de girofle sur les joues.

3 Fais deux trous de chaque côté de la citrouille avec une brochette. Passe un fil (30 cm de long environ) dans les trous puis dans l'orange. Fais un nœud à l'intérieur de la citrouille.

4 Pour l'anse, prends une ficelle de 75 cm de long environ et passe-la dans les trous des boucles d'oreilles. Mets la bougie à l'intérieur de la citrouille. Replace le couvercle.

MONSTRES FEUILLUS

il te faut...

Différentes feuilles d'automne
Grande feuille de papier marron
 ou noir
Lentilles ou pois secs
Paille
Vieil annuaire téléphonique
Gros livres
Ciseaux
Colle

Crée toutes sortes d'animaux étranges et insolites!

Cette créature étrange a des jambes faites de longues feuilles, des bras de paille, des cheveux en fougère et une feuille rouge pour la bouche.

Un serpent à pattes? Un lézard à poils? Fabrique un monstre avec toute une variété de feuilles. Choisis astucieusement les formes et les tailles!

Dispose tes monstres sur du papier foncé. Tu obtiendras un meilleur effet.

fabrique un monstre feuillu

 Récolte toutes sortes de feuilles, de formes et de tailles différentes.

2 Sèche les feuilles entre les pages d'un annuaire. Pose des gros livres par-dessus. Attends deux semaines.

3 Place les feuilles sur une feuille de papier ou un bristol. Fabrique des monstres, des insectes et des animaux étranges. Choisis des feuilles pour le corps, les bras ou les jambes. Colle des pois ou des lentilles pour les yeux.

4 Lorsque tu seras satisfait de ta composition, colle les feuilles sur le papier.

JOURS DE FÊTE
joies de Noël

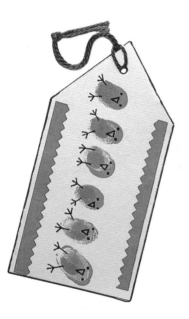

Couronne
de bonbons

Botte de Noël

La fée du sapin

Cartes et étiquettes

Guirlande
et étoile

Renne en raphia,
étoile en paille

Papier cadeau
imprimé

105

COURONNE DE BONBONS

il te faut...

Bristol vert, 40 cm de côté environ

Bristol jaune, une grande feuille

Petites branches de sapin

Papier de différentes
  couleurs

Ruban adhésif double
  face

Aiguille à laine

Laine rouge

Tasse, 9 cm de
  diamètre environ

Tasse, 6 cm de
  diamètre environ

2 tailles d'assiettes

11 bonbons
  enveloppés de
  papier

Ruban rouge, large,
  environ 1 mètre

Ciseaux

Colle

106

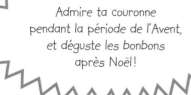

Admire ta couronne
pendant la période de l'Avent,
et déguste les bonbons
après Noël!

Pour que les bonbons
brillent de mille feux, ajoute des
décorations au feutre doré.

Tu peux confectionner
facilement une étoile en collant
2 carrés de papier,
comme sur le dessin.

Prends des petites
branches de sapin ou
autre conifère. Tu peux
aussi découper des
feuilles dans du papier
crépon vert.

réalise une couronne

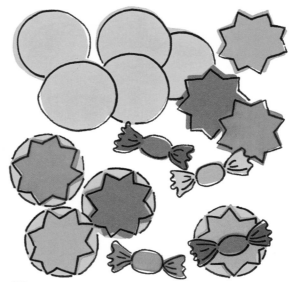

1 Découpe une grande couronne dans du bristol vert. Utilise deux assiettes de diamètres différents. Colle les branches de sapin d'un côté de la couronne. Recouvre-la complètement.

2 Découpe 10 petits ronds et un grand dans du bristol jaune (utilise le diamètre des tasses). Découpe des étoiles dans du papier. Colle une étoile sur chaque rond et agrafe un bonbon par-dessus.

3 Prends une aiguille et de la laine. Fais un trou dans chaque rond. Accroche-les autour de la couronne avec un joli nœud.

4 Attache le plus grand des ronds au sommet de la couronne comme sur le dessin. Suspends la couronne par un gros ruban rouge.

107

BOTTE DE NOËL

il te faut...

Feutrine bleue, verte, rouge, jaune, blanche, orange (chutes)

Tissu écossais ou fantaisie

Ruban ou galon vert, rouge (croquet)

Petits boutons

Laine rouge, verte

Coton à broder

Fil à coudre

Aiguilles

Épingles

Ciseaux cranteurs

Ciseaux

Colle pour tissu

Suspends la botte au sapin ou près de la cheminée la veille de Noël. Couds une boucle de galon à l'intérieur.

Colle une frange de laine au bout de l'écharpe. Colle ou couds les yeux, les boutons, l'écharpe et le pompon du bonhomme de neige.

Couds les deux parties de la botte avec du fil de couleur ou doré pour une parfaite finition.

Coupe le bout de la botte aux ciseaux cranteurs.

Colle des boules de neige en feutrine au pied du bonhomme de neige.

réalise une botte de Noël

1 Découpe deux formes de botte dans de la feutrine ou du tissu (tu peux décalquer le modèle de la page 254). Dans du tissu, découpe deux bouts de pied et deux talons.

2 Colle les morceaux ensemble, puis les bouts de pied et les talons. Colle des rubans ou des galons pour la décoration. (Tu peux aussi les coudre).

3 Confectionne un bonhomme de neige dans de la feutrine. Copie le modèle de la page 108. Colle les boules de neige et le bonhomme sur la botte. Ajoute des franges à l'écharpe et un pompon au bonnet (voir page 250). Brode de petits flocons (voir page 247).

4 Épingle les deux parties de la botte ensemble. Coupe le contour de la botte aux ciseaux cranteurs. Couds les deux parties ensemble (voir page 247). Ne couds pas le haut de la botte! Couds un galon à l'intérieur pour faire une boucle.

JOIES DE NOËL

109

LA FÉE DU SAPIN

il te faut...

Bristol fin de couleur, environ 40 cm
   de côté

Papier de couleur

Papier métallisé argent,
   environ 15 x 30 cm

4 bâtonnets de glace

Petites perles, boutons ou
   paillettes

Autocollants étoiles

Papier de soie jaune,
   orange ou marron

Feutrine

Piques en bois

Assiette

Fil doré

Fil à broder

Aiguille à coudre

Feutres

Ruban adhésif

Ciseaux

Ciseaux cranteurs

Colle

110

Colle l'étoile à la pique
en bois et celle-ci à la main
de la fée.

Tu peux aussi
coudre les boutons
sur le visage
de la fée.

Mets beaucoup
d'étoiles et de
paillettes pour faire
briller la robe
de la fée.

Couds un petit bout de ficelle
sur la chaussure, et effiloche les extrémités pour
créer un effet de nœud différent.

confectionne une fée

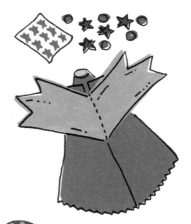

1 Découpe un demi-cercle dans du bristol avec des ciseaux cranteurs (dessine le diamètre d'une assiette). Forme un cône avec ton demi-cercle (voir page 246) et agrafe-le. Coupe le sommet du cône.

2 Recouvre deux bâtonnets de glace de papier de couleur pour faire les manches. Laisse dépasser les mains. Colle les bras derrière le cône.

3 Plie le papier métallisé en deux. Dessine une aile et découpe-la. Ouvre le papier. Décore les ailes avec des étoiles et des paillettes. Colle-les derrière le cône.

4 Découpe une tête et un cou dans du bristol (copie le modèle ci-dessus). Dessine un nez et une bouche. Colle des perles ou des boutons pour les yeux, du papier de soie pour les cheveux. Enfile des perles sur du fil et colle-les dans les cheveux de la fée. Agrafe le cou à l'intérieur du cône.

5 Décore deux bâtonnets de glace pour les jambes. Colle deux chaussures de feutrine (copie celles de la page 110). Pour les nœuds, prends du coton à broder ou de la ficelle en papier. Colle les jambes à l'intérieur du cône.

6 Pour réaliser la baguette magique, colle une étoile au bout d'une pique, puis enroule-la de fil doré. Décore la robe de la fée.

CARTES ET ÉTIQUETTES

il te faut...

Pour les cartes rouge-gorge

Bristol fin blanc et rouge

Papier vert

Feutre noir

Peinture rouge et marron

Autocollants ronds rouges
   et verts

Ciseaux

Ciseaux cranteurs

Colle

Pour les étiquettes

Bristol fin blanc et vert

Coton à broder rouge
   et vert

Autocollants ronds rouges
   et verts

Papier de couleur rouge
   et vert

Peinture rouge et marron

Perforatrice

Ciseaux

Ciseaux
   cranteurs

Colle

112

Découpe des bandes de papier aux ciseaux cranteurs. Colle-les autour des rouges-gorges pour faire un cadre.

Imprime les rouges-gorges séparément, par deux ou en groupe.

Ne crée pas qu'un seul modèle de rouges-gorges : oriente les becs ou les pattes dans des directions différentes!

crée une carte ou une étiquette

Carte

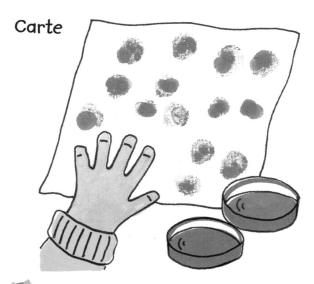

1 Trempe ton doigt dans de la peinture marron. Imprime le corps du rouge-gorge sur une grande feuille de bristol blanc. Trempe ton petit doigt dans de la peinture rouge. Imprime la poitrine de l'oiseau légèrement sur le corps.

2 Dessine au feutre noir le bec, les yeux et les pattes de chaque oiseau.

Étiquette

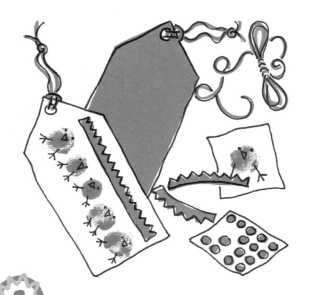

3 Plie ton bristol blanc pour faire une carte de Noël, ou découpe un rouge-gorge et colle-le sur un bristol rouge. Termine à ton idée la décoration de la carte.

1 Confectionne des rouges-gorges en suivant les étapes 1 et 2. Découpe des étiquettes dans le bristol blanc ou colle les oiseaux sur des étiquettes vertes. Décore-les avec des autocollants ou du papier découpé. Fais un trou avec la perforatrice. Passe un fil de coton dans le trou de l'étiquette et fais une boucle.

GUIRLANDE ET ÉTOILE

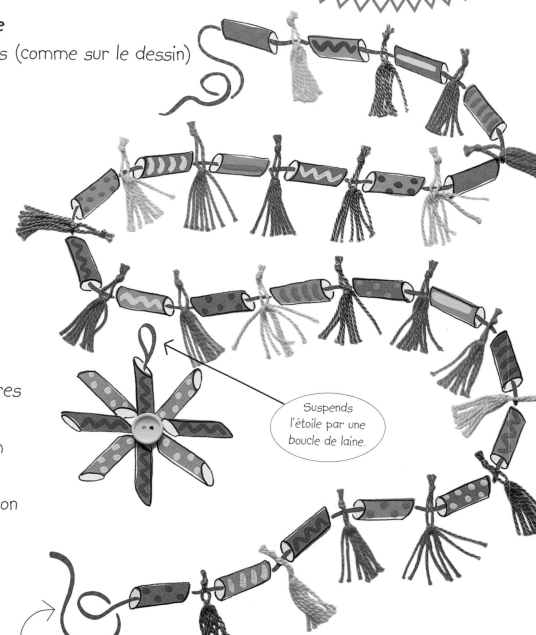

La guirlande aura la longueur que tu auras choisie : il te suffit de prendre un long fil de laine, d'enfiler autant de pâtes et de pompons que tu veux !

il te faut...

Pour la guirlande

Pâtes alimentaires (comme sur le dessin)

Peinture

Pinceaux

Feutres

Laine ou coton
   à broder

Bristol épais,
   environ 3 x 7 cm

Aiguille à laine

Ciseaux

Pour l'étoile

8 pâtes alimentaires
   (tube)

Bristol fin de 5 cm
   de côté environ

Laine, 20 cm environ

Peinture

Pinceaux

Boutons

Ciseaux

Colle

Suspends l'étoile par une boucle de laine.

Lorsque tu auras terminé la guirlande, attache les deux extrémités de laine ensemble, ou chaque extrémité autour de la dernière pâte.

réalise une guirlande et une étoile

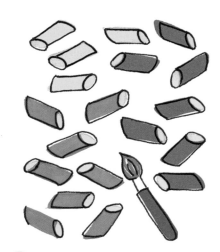

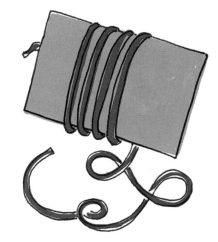

1 Peins la moitié des pâtes en rouge et l'autre en vert. Laisse sécher.

2 Décore-les à ton idée, avec des lignes ou des points, à la peinture ou au feutre.

3 Pour les pompons, enroule de la laine 4 fois autour d'un morceau de carton. Coupe la laine qui dépasse.

4 Passe un brin de laine dans une aiguille, puis entre la laine et le carton. Répète l'opération et fais un nœud bien serré. Coupe les boucles du bas comme sur le dessin (voir page 249).

5 Enfile les pâtes sur la laine, en alternant les couleurs. Attache un pompon entre chaque pâte.

6 Décore les pâtes selon les étapes 1 et 2 ci-dessus. Colle les pâtes en étoile sur le bristol. Colle le bouton au centre. Coupe le bristol en suivant la forme d'étoile. Colle une boucle de laine derrière le bristol pour la suspendre.

JOIES DE NOËL

115

RENNE EN RAPHIA, ÉTOILE DE PAILLE

Trouve des brindilles de mêmes dimensions et de même forme.

L'étoile est un bricolage simple et naturel qui sera particulièrement joli sur le sapin de Noël, ou suspendu au bouton de la fenêtre ou de la porte.

Plie l'encolure et la queue à ta façon : ton renne aura plus de caractère !

Tu peux aussi confectionner plusieurs rennes, reliés entre eux par un harnais de fil rouge.

il te faut...

Pour le renne

Raphia naturel

Tube de carton étroit

4 cure-pipes

Fil à broder rouge

2 brindilles de même taille (voir dessin)

Ruban adhésif

Ciseaux

Colle

Tu devras probablement ajuster les pattes du renne jusqu'à ce qu'il reste en équilibre.

Pour l'étoile

Paille, 4 brins de 6 cm environ

Fil à broder rouge

Ciseaux

réalise un renne et une étoile

Renne

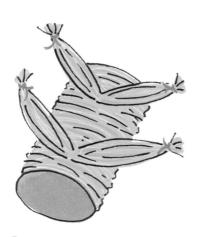

Le trait en pointillé rouge indique le cure-pipe sous le raphia.

1 Enroule le tube de carton avec du raphia. Colle-le au fur et à mesure.

2 Attache le raphia avec du fil, aux extrémités de deux cure-pipes. Plie-les en deux. Colle-les à l'avant et à l'arrière du tube.

3 Recouvre un autre cure-pipe de raphia. Plie une extrémité en deux pour faire la tête, comme sur le dessin. Attache du fil autour du nez et en haut de l'encolure. Colle l'encolure au tube.

Étoile

4 Coupe un cure-pipe en deux. Entoure une moitié de raphia. Attache les deux extrémités avec du fil. Colle la queue au corps.

5 Colle les brindilles pour les bois. Remplis le tube de raphia.

1 Fais une croix avec deux brins de paille. Attache-les au centre avec du fil (ne coupe pas le fil). Mets une seconde croix de paille sur la première. Attache-les ensemble. Fais une boucle pour suspendre.

117

PAPIER CADEAU IMPRIMÉ

Pour obtenir de belles impressions, appuie le tampon sans le bouger, puis soulève-le d'un coup !

Imprime une étoile ou choisis ton propre modèle.

Ces sapins sont imprimés en deux étapes : d'abord la partie verte, puis le rectangle rouge pour le pot.

Les points bleus sont réalisés avec la gomme d'un crayon, trempée dans la peinture.

il te faut...

Pour le papier à étoiles
Pomme de terre coupée en deux
Papier blanc ou de couleur
Peinture rouge, verte
Pinceaux

Crayon avec une gomme au bout
Papier-calque
Cutter (attention !)
Épingles
Ciseaux

118

imprime le papier cadeau

Étoile

1. Dessine une étoile sur du papier. Découpe-la. Épingle l'étoile sur la pomme de terre.

2. Taille l'étoile dans la pomme de terre à l'aide d'un cutter (demande à un adulte de t'aider), à environ 5 cm de profondeur.

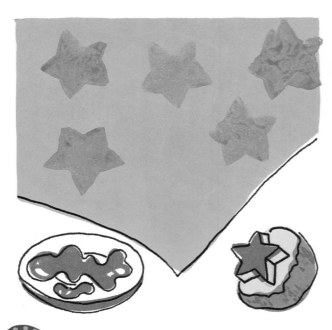

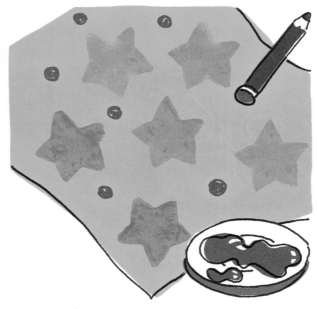

3. Trempe l'étoile dans la peinture rouge. Imprime autant de formes que tu veux sur le papier.

4. Trempe la gomme du crayon dans la peinture verte et imprime des points entre les étoiles.

IL PLEUT
jeux de papier

Poupée panda

Animal en papier frisé

Tableau d'affichage

Pot à crayons

Encadrement fruité

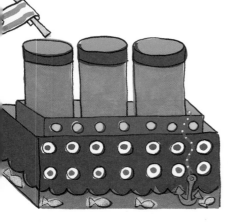

POUPÉE PANDA

il te faut...

Bristol fin, une grande feuille
Couvercle d'une boîte à chaussures
Papier
Peinture
Pinceaux
Feutres
Autocollants
  ronds bleus
Ruban
  adhésif
Ciseaux
Colle

Décalque ce panda.
Si tu décides de le faire
plus grand, assure-toi que les
vêtements sont adaptés
à sa taille.

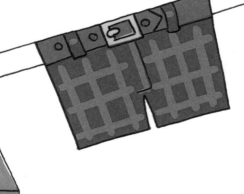

N'oublie pas
les languettes
sur chaque
vêtement.

fabrique une poupée panda

1 Dessine un panda sur du bristol (décalque celui de la page ci-contre), sans oublier les languettes sous les pattes. Peins-le en noir et blanc. Ajoute des autocollants pour les yeux. Découpe-le.

2 Fais deux fentes dans le couvercle de la boîte. Décore le couvercle.

3 Enfonce les languettes dans les fentes. Replie-les sous le couvercle. Tu peux les coller ou les agrafer.

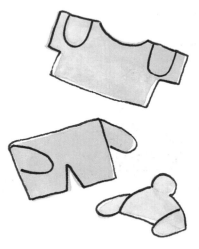

4 Dessine les habits du panda. N'oublie pas les languettes! Décore-les.

5 Replie les languettes comme sur le dessin.

6 Habille ton panda en repliant les languettes derrière le corps. Dessine-lui toute une garde-robe!

ANIMAL EN PAPIER FRISÉ

Pour le dos du hérisson, superpose des bandes de papier de soie noir et blanc, découpés en zigzag pour faire les épines.

Les pattes du hérisson sont découpées et collées séparément.

Pour que la queue de l'écureuil soit bien touffue, couvre-la de nombreuses boucles de papier de soie.

Dessine le nez, l'oreille, le bras et les détails des pattes au feutre.

il te faut...

Pour l'écureuil

Bristol fin de couleur

Papier marron, d'environ 25 x 30 cm

Peinture

Pinceaux

Papier de soie rouge, marron, jaune et vert

Feutres

Crayon

Règle

Ciseaux

Ciseaux cranteurs

Colle

JE FAIS, TU FAIS, IL FAIT...

crée un animal en papier frisé

Écureuil

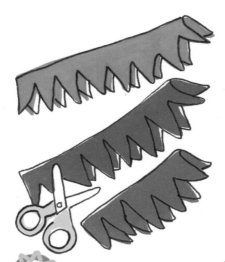

1 Découpe la queue et le dos de l'écureuil dans du papier avec des ciseaux cranteurs. Colle-les sur du bristol. Ajoute le nez et les yeux au feutre.

2 Découpe des bandes de papier de soie rouge et marron de 7 x 20 cm environ. Plie les bandes en deux dans le sens de la longueur. Découpe-les en zigzag comme sur le dessin.

3 Pour faire des boucles, tire chaque pointe de la bande entre ton pouce et une règle. Découpe les bandes en petits morceaux.

Hérisson

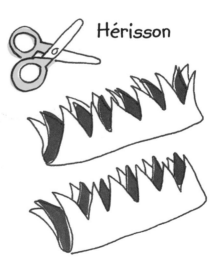

4 Colle les boucles de papier de soie sur la queue en mélangeant les boucles rouges et marron. Colle des petits bouts de papier de soie jaune pour les moustaches.

5 Colle une petite boule de papier de soie pour l'œil et l'autre pour le gland. Découpe des feuilles de chêne dans du papier de soie vert. Colle-les.

1 Les épines du hérisson sont faites avec des bandes de papier de soie noir et blanc, pliées ensemble et découpées en zigzag.

TABLEAU D'AFFICHAGE

Colle les voitures face à face.

Les bandes de papier de couleur ressemblent aux lignes de signalisation.

il te faut...

Tableau d'affichage en liège
Bristol fin, 20 x 30 cm environ
Papier bleu
Différents papiers de couleur
Punaises
8 boutons

Ficelle, environ la hauteur du tableau
Petit carnet et crayon
Ciseaux
Colle

réalise un tableau d'affichage

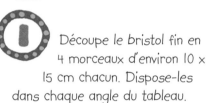

1 Découpe le bristol fin en 4 morceaux d'environ 10 x 15 cm chacun. Dispose-les dans chaque angle du tableau.

2 Découpe 4 voitures de couleurs différentes dans du papier. Colle une voiture sur chaque bristol. Découpe deux vitres bleues pour chaque voiture.

3 Colle ou couds 2 boutons pour les roues.

4 Dans chaque coin du tableau, fixe les cartes avec des punaises. Deux voitures sont dans un sens et les deux autres dans l'autre.

5 Découpe une bande de papier de couleur d'environ 1,5 cm de large. Coupe les bandes en morceaux de 5 cm. Colle-les autour du tableau à distances égales.

6 Attache le crayon au bout d'une ficelle. Fixe-la avec une punaise. Attache le carnet avec une punaise également.

POTS À CRAYONS

il te faut...

Pour le paquebot

3 rouleaux de papier hygiénique

2 boîtes en carton, une boîte à chaussures et une plus petite

Papier bleu foncé

Œillets de couleur ou autocollants

Peinture

Pinceaux

Papier métallisé argenté et doré

Laine, environ 40 cm

Ruban adhésif

Tissu

Brochette

Ciseaux

Colle

Pour ces pots à crayons, colle des rouleaux de différentes tailles les uns aux autres. Colle-les sur un fond en carton. Décore-les avec des étoiles découpées dans du papier cadeau.

Ajoute les détails des hublots, de l'ancre et des poissons au feutre.

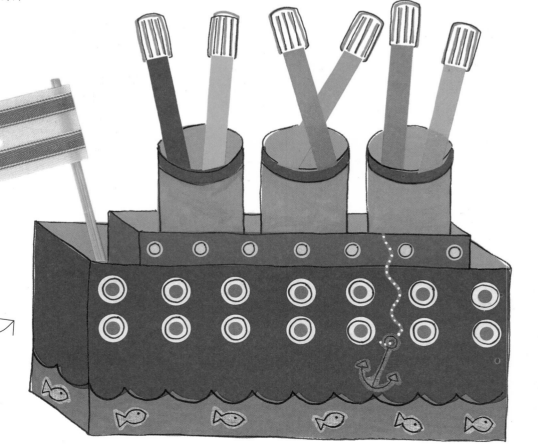

réalise des pots à crayons

Paquebot

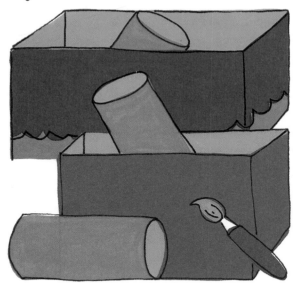

1 Peins les rouleaux en rouge et la petite boîte en bleu. La boîte à chaussures en bleu foncé, avec une ligne ondulée verte tout autour.

2 Colle des œillets autour des boîtes pour les hublots. Colle une bande de papier bleu foncé au sommet des cheminées.

3 Découpe des poissons dans du papier argenté et une ancre dans du papier doré. Colle les poissons. Attache l'ancre avec de la laine. Agrafe l'autre extrémité à l'intérieur de la boîte.

4 Agrafe les cheminées dans la petite boîte, puis colle la petite boîte dans la grande. Colle un drapeau en tissu au bout de la brochette. Agrafe-la dans le carton à chaussures.

129

ENCADREMENT FRUITÉ

La photo doit être bien ajustée au cadre. Il est préférable qu'elle soit un peu plus grande que la fenêtre.

Compose une véritable salade de fruits : fraise, citron et cerises... et place les photos de famille dans ces cadres.

Le cadre cerise est idéal pour des photos de jumeaux !

il te faut...

Pour la pomme

Carton lisse ou ondulé, 30 cm de côté environ

Papier journal, en petits morceaux

Raphia ou laine, 30 cm environ

Peinture

Pinceaux

Feutres

Ruban adhésif

Ciseaux et perforatrice

Colle diluée à l'eau

fabrique des cadres fruités

Pomme

1 Dessine la forme d'une pomme sur le carton. Découpe-la. Découpe un carré au centre.

2 Colle des petits bouts de papier journal avec un pinceau et de la colle diluée. Recouvre toute la surface et les côtés. Laisse sécher.

3 Fais un trou dans la tige. Peins la pomme, les feuilles et la tige. N'oublie pas de peindre derrière le cadre !

4 Passe un bout de raphia dans le trou. Mets une photo dans le cadre. Replace le carré de carton et fixe-le avec du ruban adhésif derrière la photo.

JEUX DE PAPIER

131

jeux de peinture

Boîte à insectes

La famille
Crocodile

Pots de fleurs
en mosaïque

Chouette un hibou !

Tee-shirts fantaisie

133

BOÎTE À INSECTES

il te faut...

Pour la coccinelle

Papier épais marron ou noir

Boîte d'allumettes

Caillou ou galet de la taille de la boîte

Peinture

Pinceaux

2 petites perles

Bouton

Paille

Ciseaux

Colle

Pour que la peinture tienne mieux sur le caillou, mélange-la avec un peu de colle.

Colle les pattes sous le caillou. Assure-toi qu'elles dépassent de chaque côté.

Les ailes de l'abeille sont découpées dans du papier cellophane. Tu peux aussi utiliser des papiers de bonbons ou du papier-calque.

Ces petites bêtes du bord de mer ont un coquillage collé sur le dos et des petits morceaux d'algue séchée pour la queue.

réalise une boîte à insectes

Coccinelle

① Mélange de la colle avec un peu de peinture rouge et noire. Peins le caillou en rouge. Laisse sécher. Peins des taches et une bande noires.

② Découpe 8 petites bandes de papier de 0,5 x 1,5 cm. Colle 6 bandes pour les pattes et 2 pour les antennes. Enfile une perle sur chaque antenne.

③ Peins la boîte en bleu. Laisse sécher. Décore la boîte à ton idée.

④ Colle le bouton sur le tiroir de la boîte. Remplis le tiroir de paille.

JEUX DE PEINTURE

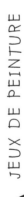

135

LA FAMILLE CROCODILE

Le motif est si ressemblant qu'on dirait une vraie peau de crocodile.

Détache délicatement les crocodiles imprimés sans faire baver la peinture.

il te faut...

2 morceaux de polystyrène, ou deux supports de pizza
Bristol fin vert et jaune
Papier jaune, bleu ou violet
Peinture verte, marron
Pinceaux

Cutter (attention!)
Autocollants ronds
Papier-calque
Crayon avec une gomme au bout
Ciseaux, ciseaux cranteurs
Colle

crée une famille de crocodiles

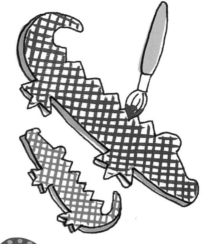

1 Décalque un gros et un petit crocodile (page 136).

2 Reporte ton modèle sur le polystyrène. Découpe les crocodiles au cutter (demande à un adulte de t'aider).

3 Tamponne la peinture sur la partie quadrillée du polystyrène. La peinture doit être assez épaisse.

4 Applique la partie peinte du crocodile sur le bristol de couleur. Appuie avec ta main sans bouger! Retire le crocodile.

5 Découpe les crocodiles imprimés. Mets un autocollant pour l'œil. Trempe la gomme du crayon dans la peinture et imprime un point pour chaque œil. Découpe une bande de papier aux ciseaux cranteurs. Colle la bouche.

6 Pour que le crocodile tienne, plie une bande de bristol comme sur le dessin ci-dessus. Colle-la derrière le crocodile.

JEUX DE PEINTURE

137

POT DE FLEURS EN MOSAÏQUE

il te faut...

Pour le pot de primevères

Pot en terre

6 coquilles d'œuf écrasées

Peinture vert clair, bleu, violet

Pinceaux

Colle diluée à l'eau

Colle

> Dispose les coquilles peintes au hasard, ou compose une décoration comme celle-ci.

> Choisis tes couleurs préférées, mais sélectionne une couleur foncée pour le pot et des couleurs plus claires pour les coquilles d'œuf.

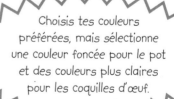

> Pour donner un effet de mosaïque, les coquilles doivent être assez rapprochées. Laisse cependant un espace autour de chaque morceau pour que la couleur du fond ressorte bien.

JE FAIS, TU FAIS, IL FAIT...

réalise une mosaïque

Primevère

① Peins le pot en terre en violet. Laisse sécher.

② Peins la moitié des coquilles en vert et l'autre moitié en bleu.

③ Colle les coquilles sur le pot en mélangeant les morceaux bleus et verts. Laisse un espace entre les morceaux.

④ Applique la colle diluée sur le pot avec un pinceau. La colle agit aussi comme un vernis.

JEUX DE PEINTURE

139

CHOUETTE UN HIBOU !

il te faut...

Bristol fin marron et jaune,
   30 cm de côté environ
Raphia, ficelle, 50 cm environ
Peinture jaune pâle,
   crème et marron
Attaches parisiennes
Papier, tissu marron
Perles
Éponge
Aiguille
   à laine
Perforatrice
Ciseaux
Ciseaux
   cranteurs
Colle

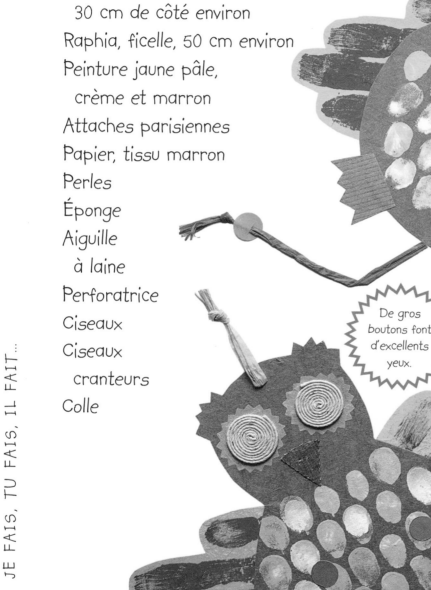

Grâce à cette boucle de raphia, tu peux suspendre ton hibou à un arbre ou à ton doigt.

De gros boutons font d'excellents yeux.

Découpe les ailes en laissant une marge autour de l'impression de tes mains.

Tire sur la queue du hibou pour qu'il batte des ailes.

fabrique un hibou

1 Dessine le corps d'un hibou sur du bristol marron. Trempe ton doigt dans la peinture jaune et imprime des points sur le corps du hibou. Découpe-le.

2 Applique de la peinture marron avec une éponge sur la paume de ta main. Imprime-la sur le bristol jaune. Découpe l'impression de quatre doigts (laisse le pouce de côté).

3 Fais deux trous sur le corps avec une aiguille et un dans chaque aile. Attache les ailes au corps avec des attaches parisiennes. Fais un trou au sommet de la tête et passe un morceau de raphia.

4 Fais un trou dans chaque aile. Ailes baissées, passe un morceau de raphia dans les trous comme sur le dessin. Attache une perle à l'extrémité du raphia.

5 Pour les yeux, colle un carré de 3 cm avec de la ficelle roulée en escargot. Coupe le carré aux ciseaux cranteurs. Colle les yeux.

6 Découpe le bec dans un petit morceau de tissu et 2 pattes dans du papier. Colle-les.

TEE-SHIRT FANTAISIE

il te faut...

Pour le tee-shirt
   aux deux gros poissons

Tee-shirt

Bristol fin, environ 10 x 20 cm

Carton, environ 10 x 20 cm

2 petits boutons ou perles

Crayon avec une gomme au bout

Peinture pour tissu

Éponge

Ruban adhésif double face

Essuie-tout

Aiguille

Ciseaux

Les pochoirs égayeront le plus banal des tee-shirts! Imprime un banc de poissons aux couleurs vives.

Applique le pochoir à rayures sur le poisson avec beaucoup de précision. Tamponne ensuite la peinture pour éviter que les rayures dépassent la forme du poisson.

Applique le moins de peinture possible! L'éponge doit être presque sèche, sinon la peinture risque de couler sous le pochoir.

142

crée un tee-shirt fantaisie

Deux gros poissons

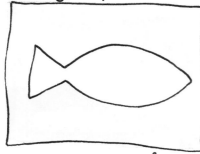

1 Dessine un gros poisson sur du bristol fin. Découpe-le. Garde la forme évidée du poisson (voir page 25I).

2 Place le pochoir sur le tee-shirt. Colle-le avec du ruban adhésif. Glisse le carton à l'intérieur du tee-shirt, sous le pochoir.

3 Trempe l'éponge dans la peinture bleue. Tamponne-la sur une feuille d'essuie-tout. Applique-la sur le pochoir. Laisse sécher avant de retirer le pochoir.

4 Replace le pochoir sur le tee-shirt, dans un sens différent (n'oublie pas de déplacer le carton à l'intérieur du tee-shirt!). Répète l'étape 3 avec de la peinture verte.

5 Pour les rayures, dessine un poisson de même dimension sur du bristol. N'évide que les rayures. Applique ensuite ce pochoir sur le poisson imprimé. Tamponne la peinture. Trempe la gomme du crayon dans la peinture. Fais des points.

6 Couds des boutons ou des perles pour les yeux des deux poissons.

JEUX DE PEINTURE

143

IL PLEUT
jeux de carton

Maison
champignon

Maison de poupée

Meubles
de poupée

Théâtre miniature

Acteurs
pinces à linge

145

MAISON CHAMPIGNON
il te faut...

Bristol fin, 3 feuilles, une d'environ
  30 cm de long,
  de 10 x 15 cm,
  de 15 x 75 cm
Peinture
Pinceaux
Feutres
Chutes de
  tissu
Ciseaux
Agrafeuse
ou colle

La pente du toit et la taille de la maison peuvent varier suivant la taille de la feuille de bristol.

Colle un brin de laine à une des extrémités de la bobine pour faire la queue de la souris.

Fais une porte assez grande pour que les souris puissent entrer et sortir.

Pour la souris, dessine une tête et découpe-la dans du bristol.

Pour la gamelle, prends un petit couvercle et remplis-le de grains de maïs.

construis une maison champignon

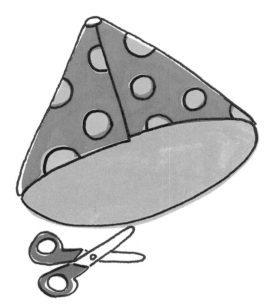

1 Découpe un rond dans du bristol (dessine le contour d'une assiette). Coupe son rayon du bord vers le centre. Peins le rond en rouge. Fais des points jaunes. Agrafe ou colle-le en cône.

2 Découpe des feuilles et des glands dans du bristol (tu peux copier ceux ci-dessus). Colorie-les au feutre ou à la peinture. Colle la tige à l'intérieur du toit.

3 Découpe un rectangle dans du bristol. Découpe une porte. Ajoute les fenêtres, les fleurs et l'herbe.

4 Agrafe ou colle la base de la maison comme sur le dessin. Pose le toit. Tu peux confectionner de petites couvertures dans du tissu pour les souris.

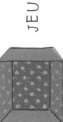

MAISON DE POUPÉE

il te faut...

2 cartons de dimensions égales
Papier cadeau ou peint
Papier blanc
Papier de couleur
Bouts de tissu
Boîte d'allumettes
Peinture
Feutres
Ruban adhésif
Ciseaux
Colle

Il est préférable de peindre l'extérieur de la maison avant de placer les portes et les fenêtres.

Dessine un bouton de porte et une boîte aux lettres. Utilise des autocollants ou des gommettes.

construis une maison de poupée

1 Coupe les rabats d'un carton pour faire la maison. Colle du papier peint à l'intérieur du carton.

2 Peins le plafond (partie du haut) et le sol (partie du bas) à l'intérieur de la boîte.

3 Dessine ou peins une porte d'entrée et 2 fenêtres. Découpe-les. Colle-les à l'extérieur de la maison.

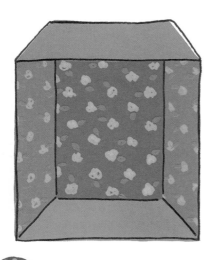

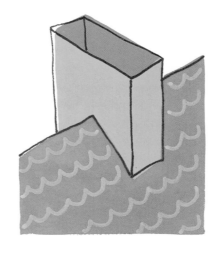

4 Dessine ou peins une porte sur du papier de couleur et 2 fenêtres sur du papier blanc. Découpe-les. Colle des rideaux en tissu aux fenêtres. Colle les fenêtres et la porte à l'intérieur de la maison.

5 Découpe le toit dans l'autre carton. Peins-le en rouge et dessine des tuiles au feutre. Colle 2 colombes sur le toit.

6 Peins l'extérieur d'une boîte d'allumettes en orange. Découpe l'extrémité de la boîte en V pour la cheminée. Colle la cheminée.

JEUX DE CARTON

MEUBLES DE POUPÉE

il te faut...

Pour la table et les chaises

2 bouchons coupés en deux
Grosse bobine de fil vide
Bouts de tissu
Crayon
Ciseaux
Colle

Pour la commode et les tiroirs

3 boîtes d'allumettes
Peinture et pinceaux
3 attaches parisiennes
Aiguille à laine
Colle

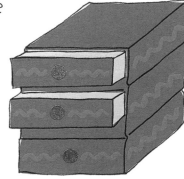

Pour le miroir et les tableaux

Bristol fin
Papier aluminium
Peinture
Pinceaux
Feutres
Ciseaux
Colle

Colle les tableaux et le miroir au mur de la maison de poupée. Dessine le clou et la ficelle au feutre.

Pour l'étagère

Papier blanc
Peinture et pinceaux
Feutres
Ciseaux
Colle

Dessine des livres mal rangés comme sur l'image ci-dessus pour créer l'impression d'une véritable étagère.

Pour le lit

Boîte
  d'allumettes
Bristol fin
Peinture et pinceaux
Bouts de tissu
Ciseaux
Colle

Pour le tapis

Tissu, 5 x 11 cm
  environ
Épingle
Colle

réalise les meubles de poupée

Table et tabourets

Colle un bout de tissu sur la partie non coupée du bouchon. Colle un bout de tissu plus grand sur la bobine de fil pour la table.

Commode

Colle les boîtes d'allumettes les unes sur les autres. Décore-les avec de la peinture et des feutres. Fais un trou au milieu de chaque tiroir avec une aiguille. Mets une attache parisienne dans chaque trou pour les poignées.

Miroir et tableaux

Découpe un ovale dans du bristol et peins-le. Colle un petit morceau de papier d'aluminium au centre du miroir. Dessine de petits tableaux dans les carrés de bristol et peins des cadres tout autour.

Étagère

Dessine une étagère avec des livres sur du papier. Découpe l'étagère et colle-la sur le mur de la maison.

Lit

Découpe la tête et le pied du lit dans du bristol fin. Colle-les à chaque extrémité d'une boîte d'allumettes. Peins le lit. Colle des rectangles de tissu sur le lit pour le duvet et l'oreiller.

Tapis

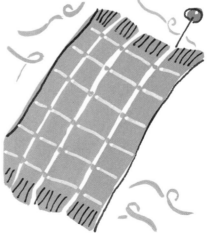

Effrange un petit morceau de tissu avec une épingle. Colle le tapis sur le sol de la maison de poupée.

THÉÂTRE MINIATURE

il te faut...

Carton, rabats
  coupés
Bristol fin, 2 feuilles
  un peu plus petites
  que le fond
  de la boîte
4 couvercles ou
  cubes, 3 cm
  de haut minimum
Feutres
Marqueur or
  ou argent
Peinture
Pinceaux
Étoiles autocollantes
Papier métallisé or ou argent
Chutes de tissu
2 tuteurs de jardin
Ruban adhésif
Ciseaux
Colle

152

Confectionne de faux rideaux dans du tissu foncé et colle de petites embrasses pour les garder ouverts.

Tu trouveras page 154 comment confectionner ces petits acteurs aimantés.

Grâce aux aimants, les acteurs bougent lorsque tu déplaces la cuillère en bois, sous le théâtre.

Les décors sont suspendus à des tuteurs de jardin.

Dessine les décors d'après les contes de fées que tu préfères.

réalise un théâtre miniature

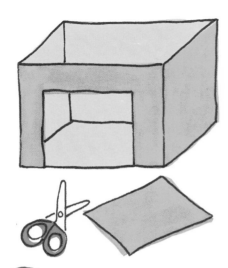

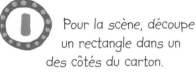

1 Pour la scène, découpe un rectangle dans un des côtés du carton.

2 Fais deux entailles en V de chaque côté de la scène comme sur le dessin. Colle un couvercle à chaque angle pour les pieds.

3 Peins les murs et la scène en vert. Décore le fond du théâtre en bleu foncé pour faire un ciel de nuit. Colle des étoiles et une lune.

4 Peins l'extérieur du théâtre en rouge et l'ouverture de la scène en violet. Au-dessus de la scène, ajoute une couronne en papier métallisé.

5 Colle des rideaux en tissu et des embrasses.

6 Dessine ou peins 2 décors sur du bristol. Colle ou agrafe les décors à des tuteurs de jardin. Pose les tuteurs dans les encoches, de chaque côté du carton.

JEUX DE CARTON

153

ACTEURS PINCES À LINGE

il te faut...

Pour le roi, la femme, la fée et le loup

4 pinces à linge en bois

8 aimants

4 cuillères en bois

Peinture

Pinceaux

Papier de soie jaune
   (fines bandes)

Brins de laine marron,
   jaune et orange

Feutres

Marqueur or

Bouts de tissu ou feutrine

Paillettes, étoiles autocollantes

Papier marron, d'aluminium,
   bristol fin

Paille, poils de brosse

Allumettes

Aiguille à broder

Scie (attention!)

Ciseaux

Colle

Colle des petits bouts de ficelle effilochée sur le loup pour que sa fourrure ait l'air bien drue.

Le balai est fait avec un manche en paille et des poils pour la brosse.

Pour la robe de la fée, prends un rectangle de tissu. Effiloche le haut et le bas du tissu. Passe une aiguille avec un fi à broder dans le tissu pour l'encolure. Tire le fil et fronce le tissu.

Pour la baguette magique, prends une allumette. Colle deux étoiles l'une contre l'autre au sommet de l'allumette.

Confectionne au roi une barbe de laine, une couronne en papier métallisé et un manteau en tissu tenu par une paillette.

Prends une cuillère en bois à long manche. Colle un aimant dans la cuillère pour déplacer les acteurs sur la scène.

JE FAIS, TU FAIS, IL FAIT...

crée les acteurs pinces à linge

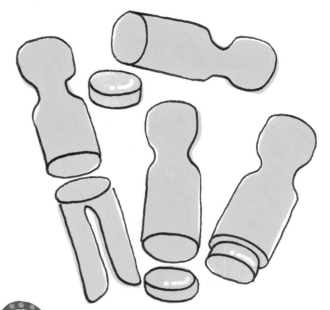

1 Coupe les pinces en deux comme sur le dessin (demande à un adulte de t'aider). Colle un aimant sous la moitié supérieure.

2 Dessine et peins les figures des personnages. Colle de la laine ou du tissu pour les cheveux, des galons ou des paillettes pour le décor des costumes.

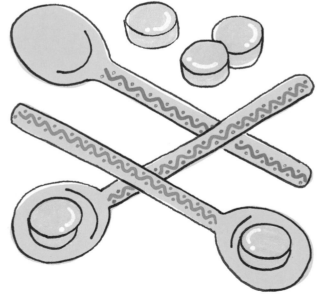

3 Pour le loup, peins la pince marron. Dessine les yeux, un nez, une bouche au feutre. Colle des oreilles en papier. Confectionne une fourrure en laine, des moustaches et une queue.

4 Colle un aimant dans chaque cuillère. Décore le manche de la cuillère.

JEUX DE CARTON

IL PLEUT
jeux de tissu

Pelotes
à épingles

Matou frileux

Tenture éléphant

Marque-pages

Sac à pyjama

PELOTES À ÉPINGLES

il te faut...

Pour le poisson

Tissu, environ 25 x 30 cm

Pois secs ou lentilles

Galon (croquet)

Papier

2 boutons

Fil

Ciseaux cranteurs

Ciseaux

Aiguille

Épingles

158

L'étoile de mer a deux boutons pour les yeux. Brode la bouche sur une moitié de l'étoile, avant de coudre les deux tissus ensemble.

Exécute des petits points rapprochés pour éviter que les lentilles ne s'échappent.

Les pattes du crabe, ainsi que les pinces, sont cousues en même temps que les deux moitiés de tissu.

réalise une pelote à épingles

Poisson

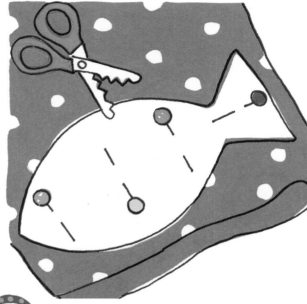

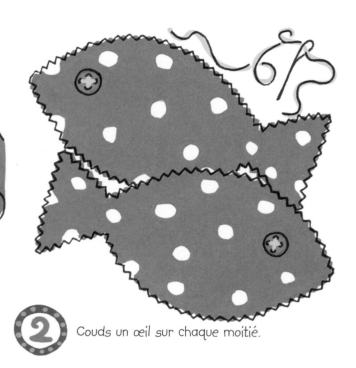

① Fais un patron dans du papier. Plie le tissu en deux et épingle le patron. Découpe tout autour avec des ciseaux cranteurs.

② Couds un œil sur chaque moitié.

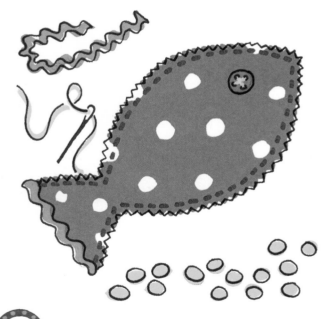

③ Épingle les deux moitiés de poisson et couds-les à petits points de devant à environ 0,5 cm du bord (voir page 247). Laisse la queue ouverte.

④ Remplis le poisson de lentilles (pas trop !) Couds la queue. Couds ou colle le croquet au bout de la queue.

JEUX DE CARTON

MATOU FRILEUX

il te faut...

Tissu fantaisie, environ 30 x 50 cm

Jute, 2 bandes de 10 cm de large,
  de la largeur d'une porte

Ruban

Kapok ou vieux collants

Tissu uni

Papier

Ficelle

Aiguille à laine

Épingles

Fil à coudre

2 boutons

Crayon

Ciseaux

Ciseaux cranteurs

Pour coudre la bouche
et les moustaches, pique d'abord
l'aiguille avec de la ficelle dans le tissu,
à l'endroit de la moustache, ressors
à l'emplacement de la bouche
(fais trois points), puis de l'autre côté
pour terminer la moustache.

Pour que le tissu
ne s'effiloche pas, coupe-le
aux ciseaux cranteurs.

Fais des points
petits et rapprochés
pour éviter que le
rembourrage ne
ressorte.

160

crée un matou

1 Dessine un patron sur du papier. Plie le tissu en deux. Épingle le patron du chat sur le tissu. Découpe tout autour aux ciseaux cranteurs.

2 Sur une des moitiés du chat, couds les yeux et colle le nez. Passe de la ficelle dans l'aiguille à laine et couds la bouche et les moustaches. Effiloche les moustaches.

3 Épingle les deux moitiés du chat. Couds-les ensemble à petits points (voir page 247). Laisse un petit espace ouvert dans le bas pour le rembourrage.

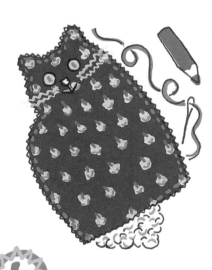

4 Bourre le chat de kapok. Couds l'espace ouvert.

5 Couds les deux bandes de jute ensemble sur trois côtés comme sur le dessin. Bourre la queue. Effiloche le bout de la queue. Couds l'autre extrémité.

6 Couds la queue au chat. Ajoute un ruban autour du cou.

JEUX DE TISSU

TENTURE ÉLÉPHANT

Confectionne un magnifique éléphant couvert de paillettes et de galons.

Ces petites feuilles terminent joliment la bordure dentelée de la tenture.

il te faut...

Baguette, 1 cm de diamètre environ, 50 cm de long

Feutrine orange, orange pâle et bleu, de 30 cm de long environ

Feutrine bleu pâle, 10 cm de long environ

Feutrine lilas, 10 x 30 cm environ

Croquet, 1,5 m

Rubans

Sergé coton, 5 bandes de 10 cm environ

Peinture bleue et pinceaux

Fil à coudre et aiguille

Paillettes et petites perles

Ficelle en papier, environ 1 mètre

Ciseaux

Colle pour tissu

162

confectionne une tenture

1 Découpe un éléphant dans de la feutrine bleue, une oreille et une défense dans de la feutrine bleu pâle, le tapis de selle et la coiffe dans de la feutrine orange.

2 Colle ou couds l'éléphant sur un carré de feutrine orange pâle. Colle le tapis de selle, la défense et la coiffe.

3 Décore l'éléphant de paillettes et de rubans. Décore l'oreille et colle-la.

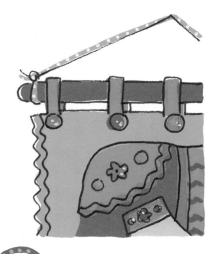

4 Colle une grosse paillette pour l'œil. Pour la queue, enfile des perles et des paillettes sur un fil et couds-la.

5 Coupe une bande de feutrine lilas en zigzag. Couds-la sur le bord inférieur de la tenture. Colle un ruban pour cacher la couture. Colle des croquets sur les côtés et sur les zigzags. Couds une petite feuille à chaque pointe.

6 Couds les bandes de sergé pour suspendre la tenture. Couds une paillette sur chaque boucle. Peins la baguette et glisse-la dans les boucles. Attache une ficelle aux extrémités de la baguette pour suspendre la tenture.

MARQUE-PAGES

il te faut...

Pour le marque-pages aux initiales

Feutrine de différentes couleurs,
  un morceau de 7 x 25 cm

Petite perle ou bouton plat

Papier

Crayon

Colle à
  tissu

Épingles

Aiguille

Fil à coudre

Ciseaux
  cranteurs

Ciseaux

De grosses initiales seront plus faciles à découper et plus voyantes.

Confectionne un serpent avec une langue en croquet et des perles pour les yeux.

Les jantes de la voiture de course sont des boutons. Des nuages de fumée en feutrine sortent du pot d'échappement.

réalise un marque-pages

Initiales

1 Dessine ton marque-pages : des initiales, une étoile et un carré sur du papier. Découpe-les.

2 Épingle les patrons sur de la feutrine de différentes couleurs. Découpe-les.

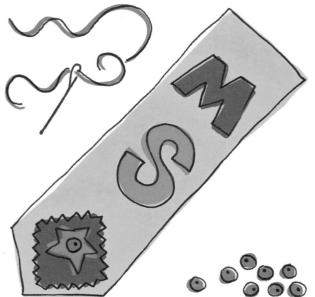

3 Colle les lettres sur le marque-pages Colle le carré et l'étoile.

4 Couds une perle ou un bouton au centre de l'étoile.

JEUX DE TISSU

165

SAC À PYJAMA

il te faut...

Taie d'oreiller

Chutes de tissu,
  de 10 x 15 cm au moins

Ruban fin ou cordon de 1,50 m

Papier

Boutons

Crayon

Épingles

Aiguille

Fil

Épingle de sûreté

Ciseaux

Ciseaux cranteurs

Colle pour tissu

confectionne un sac à pyjama

1 Dessine ton nom ou tes initiales sur du papier. Dessine une étoile. Découpe les patrons.

2 Épingle chacun des patrons sur un morceau de tissu. Découpe-les aux ciseaux cranteurs.

3 Colle les lettres de tissu sur la taie d'oreiller. Assure-toi que l'ouverture se trouve bien vers le haut.

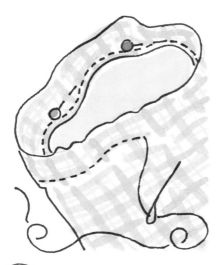

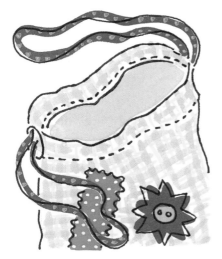

4 Couds chaque lettre au point de devant, à environ 0,5 cm du bord (voir page 247). Couds l'étoile qui sert de point sur le « i ».

5 Fais un ourlet sur le bord supérieur de la taie, assez large pour y passer un cordon. Couds l'ourlet au point de devant, en laissant un espace de chaque côté de l'ourlet.

6 Pique une épingle de sûreté à une extrémité du cordon. Passe-la dans l'ouverture de l'ourlet. Passe-le deux fois. Couds les extrémités ensemble.

JEUX DE TISSU

167

IL PLEUT
jeux de perles et paillettes

JE FAIS, TU FAIS, IL FAIT...

Perles de la savane

Bracelets sauvages

Collier et bracelets scintillants

Pendentifs en papier et trombones

Pancarte pailletée

Boîte à bijoux

169

PERLES DE LA SAVANE

il te faut...

Papier journal, déchiré en petits
  morceaux

Élastique ou fil, 60 cm environ

Colle diluée à l'eau

Vaseline

4 aiguilles à tricoter

Pomme de terre coupée en deux

30 petites billes en bois

Peinture

Pinceaux

Vernis

Mélange les rayures
et les points pour composer un collier
vraiment sauvage. Tu peux aussi
expérimenter les couleurs
et les dessins.

Alterne
des perles
rayées avec
des perles
en bois.

crée des perles de la savane

1 Mélange les petits bouts de papier journal avec de la colle pour faire une pâte (voir page 245). Enduis les aiguilles de vaseline.

2 Prends des boulettes de papier de la taille d'une bille et moule-les autour de l'aiguille à tricoter. Laisse un espace entre les boules. Répète l'opération sur l'autre aiguille, jusqu'à ce que la quantité de perles soit suffisante.

3 Pique les aiguilles à tricoter dans une pomme de terre coupée en deux. Laisse-les sécher 5 jours. Retire les perles des aiguilles. Laisse sécher encore une journée.

4 Peins les perles d'une couleur unie. Laisse sécher. Peins des points et des rayures. Passe une couche de vernis. Enfile les billes sur un fil élastique, en alternant avec des billes en bois.

BRACELETS SAUVAGES

il te faut...

Tube en carton
Journal déchiré en petits morceaux
Peinture
Pinceaux
Vernis
Colle diluée à l'eau
Ciseaux

Ce bracelet zébré est du plus bel effet !

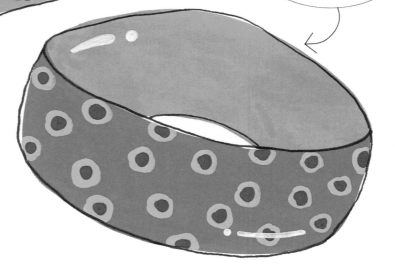

Peins l'intérieur du bracelet d'une autre couleur.

JE FAIS, TU FAIS, IL FAIT...

réalise un bracelet sauvage

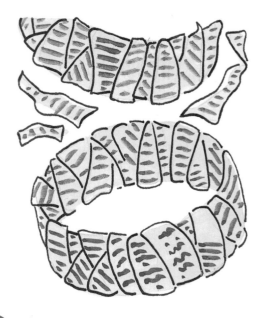

 1 Découpe un anneau de carton de 3 cm de large.

 2 Entoure-le de morceaux de papier journal et de colle. Recouvre le bracelet plusieurs fois. Laisse sécher.

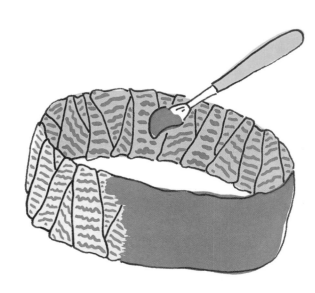

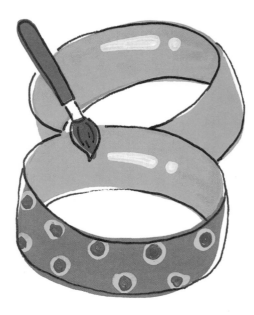

 3 Peins le bracelet d'une couleur unie à l'intérieur et à l'extérieur.

 4 Peins des rayures et des taches sur la surface extérieure du bracelet. Vernis-le

JEUX DE PERLES ET PAILLETTES

173

COLLIER ET BRACELETS SCINTILLANTS

il te faut...

Pour le bracelet poisson

Tube en plastique, 20 cm environ

Petit bout de plastique ou mastic

Sable coloré (pour aquarium :
  tu peux en trouver dans
  les animaleries)

Balsa, environ
  3 x 5 cm

Paillettes

Peinture

Pinceaux

Cutter
  (attention !)

Ruban adhésif

Fil à broder

Pot

Aiguille à
  tricoter

Colle

Le collier est fait de la même façon que le bracelet. Prends simplement un morceau de tube plus long.

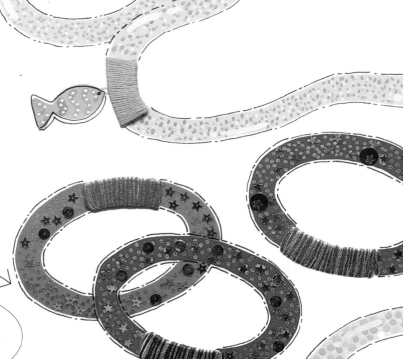

Remplis le tube de paillettes, de perles, de graines et même de minuscules bonbons !

Tu peux attacher les deux extrémités du tube avec des fils à broder de différentes couleurs.

réalise un bracelet pailleté

Poisson

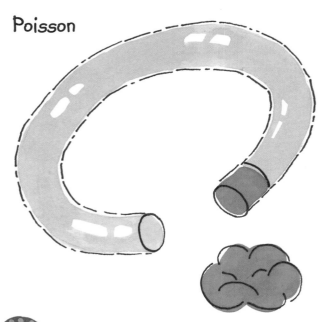

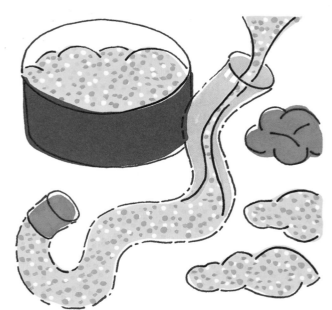

1 Coupe un morceau de tube ajusté à la taille de ton poignet.

2 Mets du sable et des paillettes dans un pot. Remplis le tube. Bloque l'autre extrémité avec du mastic.

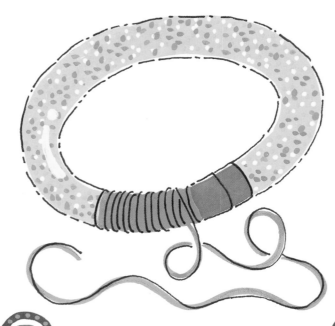

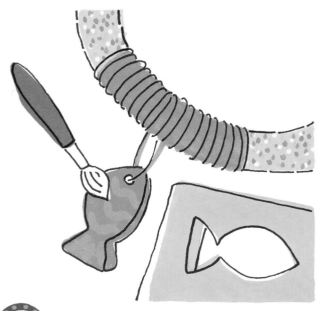

3 Joins les deux bouts avec du ruban adhésif. Entoure la jointure avec du fil à broder (pour la cacher et la renforcer).

4 Découpe un petit poisson dans du balsa (copie celui ci-dessus). Fais un trou pour l'œil avec une aiguille à tricoter. Peins le poisson des deux côtés. Suspends le poisson au bracelet en passant un fil dans l'œil.

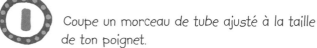

PENDENTIF EN TROMBONES ET PAPIER

il te faut...

Papier de couleurs
  différentes
3 ou 4 pailles en
  plastique
Cure-pipe
  plié en deux
Perles de couleurs
Fil à broder ou
  cordon, 1 m environ
Trombones de couleurs,
  environ 25
Ciseaux
Colle

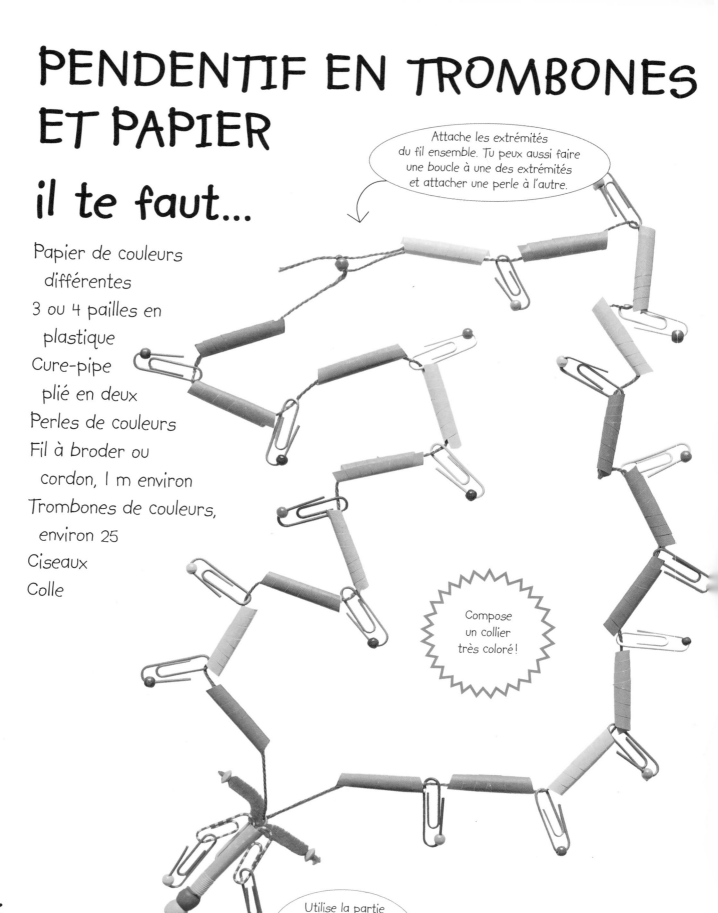

Attache les extrémités
du fil ensemble. Tu peux aussi faire
une boucle à une des extrémités
et attacher une perle à l'autre.

Compose
un collier
très coloré !

Utilise la partie
coudée de la paille
pour ajouter
du relief.

crée un pendentif en trombones

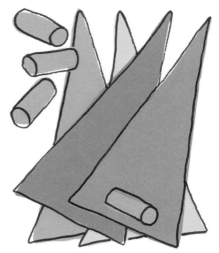

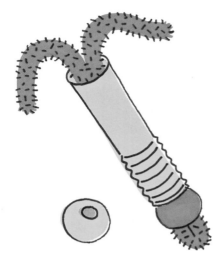

① Pour les perles, coupe 20 triangles en papier de différentes couleurs (décalque ceux ci-dessus). Coupe les pailles en 20 morceaux de 2 cm environ.

② Mets de la colle sur une face du triangle. Place un bout de paille et roule le papier tout autour. Colle la pointe du triangle.

③ Glisse un cure-pipe dans un morceau de paille de 4 cm. Prends la partie coudée. Mets deux perles au bout de la partie pliée, comme sur le dessin.

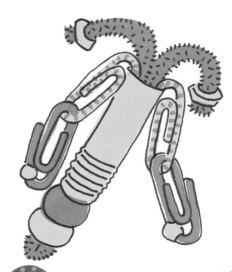

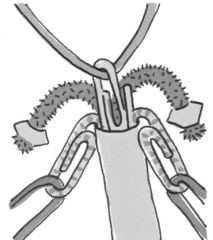

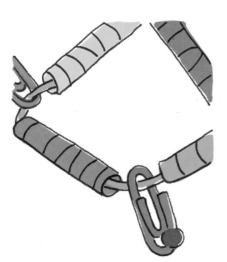

④ Écarte les deux extrémités du cure-pipe et mets une perle à chaque bout. Ajoute deux trombones de chaque côté.

⑤ Enfonce un trombone dans la paille pour faire un anneau. Colle le trombone.

⑥ Mets une perle sur chaque trombone. Enfile alternativement une perle et un trombone. Suspends le pendentif par le milieu. Noue les extrémités.

177

PANCARTE À PAILLETTES

il te faut...

Pour le nom sur la pancarte

Pâte à sel (voir page 252)

Peinture et pinceaux

Paillettes,
   petites perles

Vernis

Rouleau
   à pâtisserie

Couteau

Règle

Brochette métallique

Plaque à gâteau   id

Cordon
   de couleur

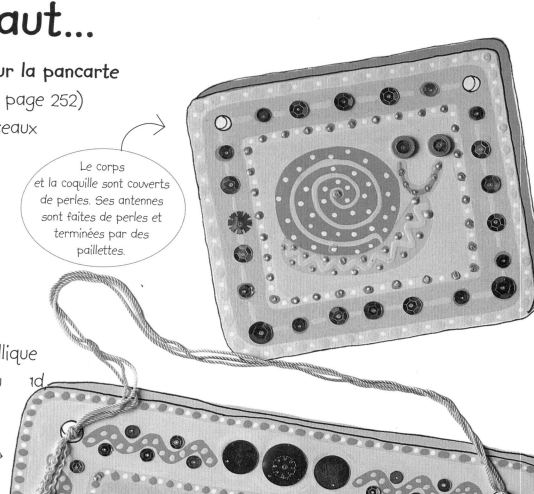

Le corps et la coquille sont couverts de perles. Ses antennes sont faites de perles et terminées par des paillettes.

Peins ta pancarte dans des teintes claires. Écris le nom et ajoute des décorations tout autour.

Colle des petites perles sur les lettres du nom et décore le cadre avec des paillettes.

réalise une pancarte

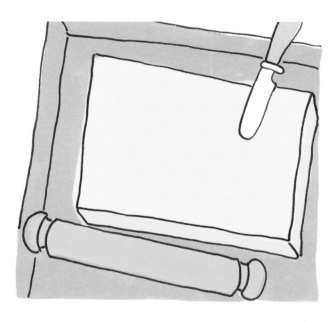

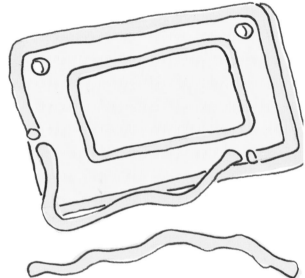

1 Roule la pâte à sel sur un rectangle d'environ 21 x 30 cm. Découpe-la aux bonnes dimensions. Mets-la sur une plaque à pâtisserie (voir page 252)

2 Roule de longs boudins de pâte. Utilise-les pour le cadre de la pancarte. Fais un trou aux deux angles supérieurs avec une brochette.

3 Roule d'autres boudins pour écrire le nom. Mets la plaque au four (voir page 252). Laisse sécher.

4 Peins la pancarte. Passe une couche de vernis. Colle des perles et des paillettes. Suspends la pancarte par un cordon passé dans les trous.

BOÎTE À BIJOUX

Si tu n'as pas de miroir, prends un morceau de papier métallisé pour décorer le centre du couvercle de la boîte.

JE FAIS, TU FAIS, IL FAIT...

il te faut...

Carton à chaussures
Peinture *bleue* et *violette* et pinceaux
Petit miroir ovale
Papier *bleu foncé*, *bleu turquoise*
   et *vert*
Papier métallisé épais
Stylo à bille

Autocollants, paillettes
Feutres, marqueur argent
Fil à broder en 3 couleurs
   ou ruban
Vieille clé
Ciseaux, ciseaux cranteurs
Colle

réalise une boîte à bijoux

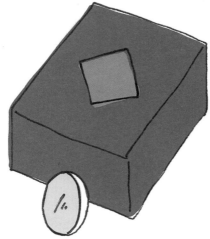

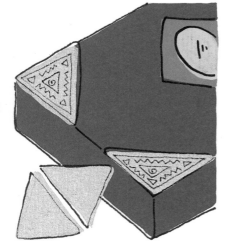

1 Peins l'extérieur d'un carton à chaussures en bleu, le couvercle en violet.

2 Découpe un losange de papier turquoise. Colle-le au centre du couvercle. Colle le miroir au centre.

3 Découpe deux carrés de 6 cm de côté en deux pour faire 4 triangles. Dessine des motifs sur les triangles avec un stylo à bille. Colle les triangles aux quatre coins de la boîte.

4 Colle une bande de papier vert sur le long côté de la boîte, un rond en papier métallisé découpé aux ciseaux cranteurs, une serrure en papier bleu foncé.

5 Décore le couvercle avec des paillettes et des autocollants, des feutres et un marqueur argent.

6 Tresse les 3 brins de coton à broder. Passe le cordon dans la clé et fais un nœud.

JEUX DE PERLES ET PAILLETTES

181

ET SI J'ÉTAIS...
déguisons-nous

JE FAIS, TU FAIS, IL FAIT...

Explorateur

Pirate

Indien
d'Amérique

Chevalier

Astronaute

EXPLORATEUR
forêt équatoriale

il te faut...

Papier vert, *bleu et jaune*, ou bristol
   (grandes feuilles)
Bristol fin de couleurs vives
Cure-pipes de couleurs
Ficelle ou corde à linge tendue entre
   deux arbres ou deux poteaux
Filet de jardin en plastique
Peinture
Pinceaux
Éponge
Crayon
Feutres
Autocollants
Pinces à linge ou trombones
Ciseaux
Ciseaux cranteurs
Colle

crée une forêt équatoriale

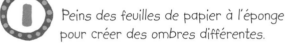

1 Peins des feuilles de papier à l'éponge pour créer des ombres différentes.

2 Dessine des feuilles au crayon sur le papier peint. Découpe les feuilles.

Papillon

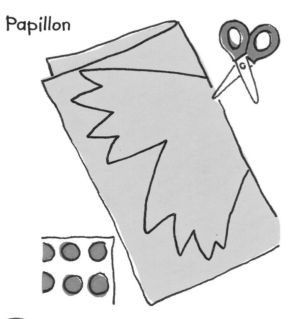

3 Choisis les animaux qui vont habiter ta forêt. Ajoute autant d'oiseaux, de papillons, de grenouilles et de serpents qu'il te plaira.

4 Plie une feuille de bristol en deux. Dessine la moitié d'un papillon. Découpe-le (sans couper le pli).

186

et les animaux

Oiseaux

5 Plie un cure-pipe en deux et glisse-le dans un morceau de paille de 3 cm de long. Décore les ailes avec des autocollants.

6 Découpe le corps d'un oiseau et son aile dans du bristol bleu. Peins un bec, un œil et les détails des plumes.

Lémurien

7 Découpe le lémurien et sa queue dans du bristol marron. Ajoute des autocollants ou des gommettes pour les yeux. Dessine le nez, la bouche, le bras et la patte au feutre.

8 Accroche le filet sur la corde à linge ou la ficelle, puis le feuillage, les fleurs et les animaux de la forêt avec des pinces à linge, devant et derrière le filet.

DÉGUISONS-NOUS

EXPLORATEUR, boussole et jumelles

il te faut...

Pour la boussole

Couvercle d'un pot de Nescafé

Papier vert et papier rouge

Feutres

Pastels

Ciseaux

Trombones

Aiguille à laine

Colle

Les dessins en zigzag créent un effet de mouvement comme sur une vraie boussole : on dirait que les aiguilles tremblent.

Bouge doucement les aiguilles pour qu'elles indiquent différents points cardinaux

Pour les jumelles

2 petits rouleaux en carton

2 gros rouleaux en carton, rouleaux d'essuie-tout coupés en deux

Peinture et pinceaux

Papier de couleurs

Boîte à œufs

Bouchon de bouteille

Ruban, environ 70 cm de long

Ruban adhésif double face

Ruban adhésif

Agrafeuse

Attache parisienne

Ciseaux

Colle

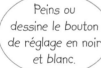

Peins ou dessine le bouton de réglage en noir et blanc.

Passe le ruban sous une lanière de papier et agrafe-le.

crée une boussole et des jumelles

Boussole

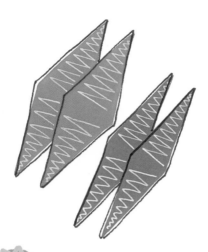
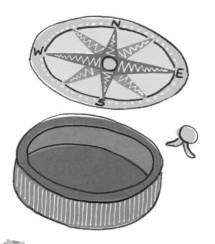

1 Retire le carton à l'intérieur du couvercle. Colorie-le en jaune. Divise le rond en quatre. Marque au feutre N (nord), S (sud), E (est) et O ou W (ouest).

2 Découpe deux grands losanges dans du papier rouge et deux plus petits dans du papier vert. Dessine des zigzags au feutre sur chaque flèche.

3 Fais un petit trou avec une aiguille au centre de chaque flèche et dans le rond de carton. Place une attache parisienne dans les trois épaisseurs. Colle le carton dans le couvercle.

Jumelles

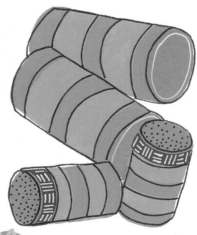

1 Peins l'intérieur des gros rouleaux en bleu ou gris pour faire les lentilles. Colle des bandes de papier autour des 4 rouleaux. Peins la vis de réglage en noir et blanc.

2 Découpe deux anneaux dans une boîte à œufs. Colle-les sur les ouvertures des petits rouleaux. Peins les anneaux en noir. Colle le bouchon de bouteille entre les petits rouleaux avec du ruban adhésif double face ou de la colle.

3 Colle les gros rouleaux sur les petits avec du ruban adhésif double face. Agrafe chaque extrémité du ruban comme sur le dessin.

DÉGUISONS-NOUS

189

PIRATE chapeau, barbe, bandeau, boucle d'oreille
il te faut...

Pour le chapeau

Papier noir épais, 45 x 60 cm

Papier blanc, 25 x 50 cm

Feutre noir

Agrafeuse

Ciseaux

Colle

Pour la barbe

Papier noir épais, environ
   30 cm de côté

Laine noire, ou raphia, ou fil

Fil élastique, environ 75 cm

Perforatrice

Ciseaux

Colle

**Pour le bandeau
   et la boucle d'oreille**

Papier noir épais, environ 10 cm
   de côté

Fil élastique, environ 75 cm

Anneau de rideau

Ciseaux

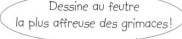

Dessine au feutre
la plus affreuse des grimaces!

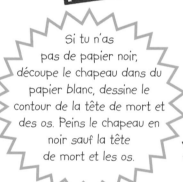

La barbe
se fixe en
accrochant aux
oreilles
ces deux
boucles.

Si tu n'as
pas de papier noir,
découpe le chapeau dans du
papier blanc, dessine le
contour de la tête de mort et
des os. Peins le chapeau en
noir sauf la tête
de mort et les os.

Taille la laine
tout autour de la
barbe et garde une
ouverture pour
la bouche.

Le bandeau
est maintenu sur l'œil
en passant le fil élastique
par-dessus une oreille
et par-dessous
l'autre.

JE FAIS, TU FAIS, IL FAIT...

réalise le chapeau, la barbe, le bandeau et la boucle d'oreille

Chapeau

① Plie le papier noir en deux et découpe deux formes de chapeau aux ciseaux. Copie le modèle de la page 190.

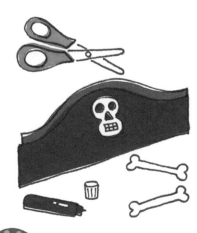

② Découpe une tête de mort et des os dans du papier blanc. Colle-les sur le chapeau. Agrafe les deux parties du chapeau.

Barbe

① Découpe une barbe dans du papier noir en faisant un trou pour la bouche. Fais deux trous de chaque côté.

② Couvre le papier noir de laine. Fais une ouverture pour la bouche. Attache l'élastique de chaque côté. Fais deux boucles pour passer les oreilles.

Bandeau et boucle d'oreille

① Découpe un bandeau dans du papier noir. Fais un petit trou de chaque côté et passe le fil élastique. Ajuste l'élastique à ton tour de tête.

② Attache un bout d'élastique à l'anneau de rideau, puis à l'élastique du bandeau. L'anneau doit pendre juste à côté de ton oreille.

PIRATE coffre au trésor

il te faut...

Carton à chaussures

Peinture marron et pinceaux

Papier noir (une feuille)

Pastel ou marqueur
  couleur bronze

Attaches parisiennes

Autocollants or ou argent

Ronds de bristol, taille
  d'une pièce de
  monnaie

Papier métallisé
  or ou argent

Stylo à bille

Feutre noir

Trombones

Poinçon ou aiguille
  à laine

Ciseaux

Colle

192

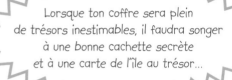

Remplis
ton coffre de pièces
d'or, de chaînes en or
ou de bijoux. Tu peux y
mettre mille trésors
étincelants !

Lorsque ton coffre sera plein
de trésors inestimables, il faudra songer
à une bonne cachette secrète
et à une carte de l'île au trésor...

Les dessins sont
réalisés avec un stylo
à bille sec sur le papier
métallisé qui recouvre
les pièces.

construis un coffre

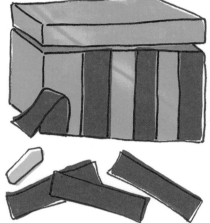

1 Peins la boîte et le couvercle en marron pour donner l'aspect du bois. Laisse sécher.

2 Frotte le pastel sur le papier noir pour le faire briller. Coupe le papier en bandes de 3 à 4 cm de large. Colle-les sur le carton.

3 Fais des trous sur les bandes avec un poinçon. Mets une attache parisienne dans chaque trou. Ouvre-les à l'intérieur de la boîte.

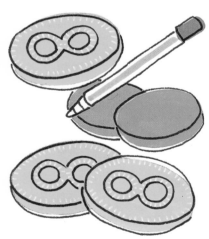

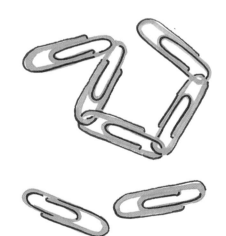

4 Dessine une serrure au feutre noir (décalque celle ci-dessus) sur du papier doré ou jaune. Colle-la sur la boîte.

5 Recouvre les pièces de bristol de papier métallisé. Dessine des marques au stylo à bille.

6 Accroche des trombones les uns aux autres pour faire des chaînes, des colliers ou des bracelets.

DÉGUISONS-NOUS

193

INDIEN D'AMÉRIQUE
coiffe et pochette

il te faut...

Pour la coiffe

Raphia noir ou laine, longueurs
de 25 cm

4 plumes de couleur

Ruban large, environ 45 cm de long

Galon, environ 45 cm

Élastique, environ 10 cm

Billes de couleurs différentes

Coton à broder, une ou deux couleurs
vives

Aiguille à broder

Fil à coudre

Aiguille

Ciseaux

Colle

Accroche
l'extrémité du raphia
à un bouton
de porte pour
faire la
tresse.

Couds ou colle les perles
sur le galon ou la coiffe.

Accroche une plume
ou quelques perles
au bout de la tresse.

La frange
de cette pochette
est faite de bandes
de ruban cousues
dans l'ourlet
inférieur.

Cache l'extrémité du coton
à broder en le repoussant
dans la tresse à l'aide
d'une aiguille.

Pour la pochette

Feutrine ou tissu, 2 morceaux
de 12 x 16 cm

Lacet ou ruban marron, 45 cm environ

Ruban fin

2 plumes

Perles

Fil à coudre, coton à broder

Aiguille

Ciseaux

Ciseaux cranteurs

Colle

réalise la coiffe et la pochette

Coiffe

1 Enroule du fil à l'extrémité de deux écheveaux de raphia. Tresse le raphia. Enroule du coton à broder aux extrémités des tresses.

2 Colle un galon sur le ruban. Couds un élastique pour ajuster le ruban à ton tour de tête.

3 Couds ou colle des perles sur le bandeau. Couds une tresse de chaque côté. Colle ou couds les plumes.

Pochette

1 Replie la feutrine de 4 cm et coupe-la comme une enveloppe.

2 Coupe une frange de 4 cm dans l'autre morceau de feutrine. Colle ou couds des perles. Brode des décorations au point de croix.

3 Couds les feutrines ensemble sur 3 côtés. Couds une perle et une boucle au bout du rabat. Enfile des perles aux extrémités du lacet avant de le coudre à la pochette.

DÉGUISONS-NOUS

195

INDIEN D'AMÉRIQUE totem

il te faut...

2 vieux pneus
Cartons de dimensions différentes
Couvercles, tubes, boîtes à œufs
Peinture acrylique (couleurs vives)
Aquarelles, gouaches (couleurs vives)
Pinceaux
Ruban adhésif large
Autocollants ou gommettes
Colle

Ces têtes de chouette sont un bon exemple de ce que tu pourras réaliser simplement avec du carton, de la peinture, des feutres et des autocollants.

Compose des expressions terrifiantes !

N'oublie pas de décorer ton totem sur toutes les faces !

Lorsque le totem sera terminé, entraîne-toi à exécuter une « danse de la pluie » endiablée !

construis un totem...

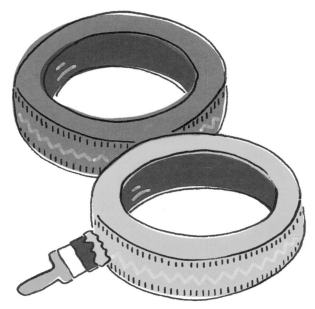

 1 Peins les pneus à la peinture acrylique. Pose-les l'un sur l'autre.

2 Agrafe les boîtes pour qu'elles restent fermées. Peins-les.

3 Peins des expressions amusantes ou terrifiantes. Décore aussi des couvercles, des tubes, des boîtes à œufs avec de la peinture, des autocollants ou des gommettes.

4 Colle les boîtes ensemble, l'une sur l'autre, avec du ruban adhésif. Enfonce la première boîte dans les pneus.

CHEVALIER casque et tunique

il te faut...

Pour le casque

Papier noir épais, une grande feuille
Pastel argenté
Plumes
Agrafeuse
Attaches
  parisiennes
Colle

Pour la tunique

Tissu ou papier rigide,
  2 feuilles de 30 x 50 cm environ
Tissu d'une autre couleur,
  environ 40 x 60 cm
Sergé coton ou biais,
  environ 80 cm de long
Agrafeuse
Fil à coudre
Aiguille
Ciseaux
Colle ou toile thermocollante

Attache
les plumes
avec du fil de couleur
et colle-les sur le
casque.

Colle des
gommettes
ou des autocollants
or ou argent.
Tu peux aussi les
dessiner avec un
marqueur.

Dessine
l'œil de
l'oiseau
au feutre.

Tu peux
aussi dessiner
l'oiseau directement
sur le tissu de la tunique,
puis le peindre avec de la
peinture pour
tissu.

réalise le casque et la tunique

Casque

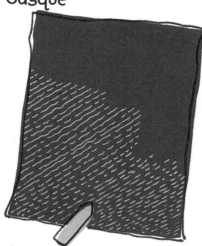

1 Frotte le pastel sur le papier noir pour lui donner un aspect brillant et métallique.

2 Découpe une bande de papier de 4 x 60 cm. Agrafe-la. Il faut l'ajuster à ton tour de tête. Découpe deux bandes de 4 x 34 cm. Agrafe-les comme sur le dessin.

3 Dans du papier, découpe une petite bande pour le nez. Fixe-la au casque avec une attache parisienne. Décore le casque avec des attaches parisiennes.

4 Colle les plumes au sommet du casque.

Tunique

1 Découpe 4 longueurs de sergé ou de biais. Agrafe, couds ou colle-les comme sur le dessin (n'oublie pas l'espace pour la tête!). Coupe deux autres bandes pour les côtés.

2 Plie le tissu d'une autre couleur en deux. Découpe deux formes d'oiseau. Colle un oiseau devant et un derrière avec de la colle ou de la toile thermocollante (voir page 248).

DÉGUISONS-NOUS

199

CHEVALIER bouclier

il te faut...

Pour la fleur de lys

Grand carton

Bristol fin, 4 x 15 cm

Peintures et pinceaux

Crayon

Feutres

Ruban adhésif

Ciseaux

Copie ce modèle, il aura fière allure sur ton bouclier.

La fleur de lys est une figure héraldique schématisée : c'est l'emblème de la royauté.

Le hibou, le faucon et l'aigle étaient des symboles de courage et de puissance.

Décore les boucliers avec de la peinture, des feutres et des autocollants.

fabrique un bouclier...

Fleur de lys

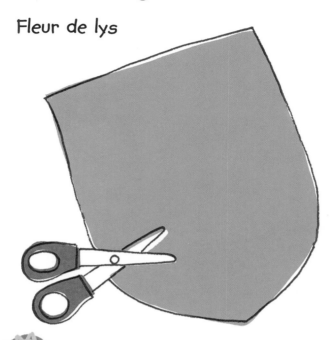

1 Découpe une forme de bouclier dans du carton.

2 Dessine une fleur de lys au crayon.

3 Peins la fleur de lys et applique la couleur de fond. Ajoute les détails au feutre.

4 Pour la poignée, colle une bande de carton derrière le bouclier. Elle doit être assez grande pour que tu puisses y passer le bras.

DÉGUISONS-NOUS

201

ASTRONAUTE

La radio est une boîte d'allumettes peinte en noir et décorée avec un marqueur argent, des autocollants et un fil de fer.

Fais preuve d'imagination et invente toutes sortes de gadgets. Choisis la couleur qui te plaît pour réaliser cet équipement.

Les bouteilles en plastique sont fixées à l'envers.

Le tableau de contrôle peut être fabriqué avec du papier ou du bristol.

il te faut...

Grande boîte de céréales

Peinture noire et grise

Pinceaux

2 bouteilles en plastique avec des bouchons

Papier ou bristol fin, 15 cm de long

Différents couvercles

Polystyrène, environ 10 x 25 cm

Boîte d'allumettes

202 Marqueurs noir et argent

Chiffres autocollants, argent, noir et blanc

Fil de fer fin

Petite bille

Tissu ou toile, 2 lanières de 5 x 50 cm

Papier d'aluminium

Ruban adhésif

Ciseaux

Colle

réalise un équipement spatial

Ferme le couvercle de la boîte avec du ruban adhésif. Peins la boîte en gris.

② Recouvre les bouteilles de papier d'aluminium. Colle-les sur la boîte, bouchons vers le bas. Découpe 6 bandes de papier d'environ 2 cm x 15 cm. Décore-les avec des autocollants ou un marqueur argent. Colle une bande en haut, une au milieu et une en bas pour retenir la bouteille.

③ Enfile une perle au bout du fil de fer. Colle le fil sur la boîte d'allumettes. Peins-la en noir. Colle une bande de polystyrène entre les bouteilles. Dessine des boutons de contrôle.

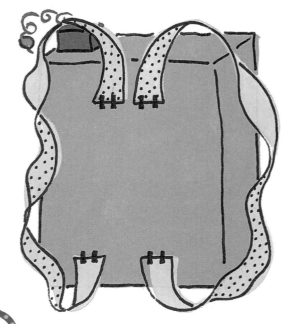

④ Colle ou fixe les lanières de tissu sur la boîte avec du ruban adhésif. Ainsi tu pourras endosser ton équipement et sortir dans l'espace.

DÉGUISONS-NOUS

203

ASTRONAUTE robot

il te faut...

Différents cartons

Rouleaux en carton de différentes tailles

Couvercles de toutes sortes

Peinture : noir, argent, rouge

Pinceaux

2 perles

Chiffres autocollants

Vieux gants en plastique

2 bouteilles en plastique

Mousse (petits ronds)

Papier d'aluminium

2 longueurs de fil de fer fin

Autocollants noirs, blancs, argentés

Marqueur argent

Marqueur noir

Attaches parisiennes

Ruban adhésif

Élastique, environ 1,50 m

Ciseaux

Colle

Peins en rouge un nez en mousse avant de le coller au milieu de la figure du robot.

Couvre ton robot de dessins argentés pour lui donner un aspect brillant.

Ce robot pourra bouger grâce à un élastique passé dans les bras.

Use de ton imagination : prends des couvercles, des rouleaux, des autocollants, pour réaliser les leviers, les boutons et les clignotants. Amuse-toi !

Choisis des objets de même taille afin que le robot ait des jambes symétriques.

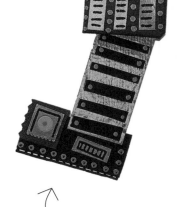

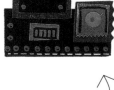

construis un robot

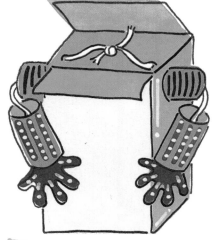

1 Commence par trier les boîtes et les rouleaux dont tu auras besoin. Pour la tête : une boîte moyenne. Les bras : un rouleau et une bouteille. Les jambes : un carton à chaussures (les pieds), une boîte moyenne (les mollets) et une grosse boîte (les cuisses).

2 Peins les gants en caoutchouc en noir et argent. Recouvre deux rouleaux et deux bouteilles avec du papier d'aluminium. Attache un élastique autour du poignet du gant et passe-le dans le rouleau et la bouteille. Fais de même pour l'autre bras.

3 Recouvre une grosse boîte de papier métallisé. Coupe un rond de chaque côté pour les bras. Attache les élastiques des deux bras ensemble à l'intérieur de la boîte. Ferme la boîte avec du ruban adhésif.

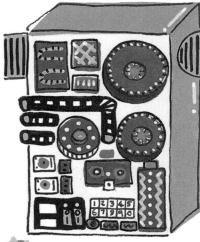

4 Pour les boutons de commande, colle des couvercles, des autocollants, du papier d'aluminium, des rouleaux et des attaches parisiennes. Termine les détails au marqueur.

5 Fais un trou dans le couvercle du carton à chaussures pour y mettre la première partie de la jambe. Colle les trois parties ensemble avant de les peindre en noir et argent.

6 Peins la tête en noir. Colle un nez en mousse et des autocollants pour la bouche et les yeux. Ajoute une perle au bout de chaque fil de fer. Pique le fil de fer dans les boîtes d'allumettes. Colle la tête sur le corps.

ET SI J'ÉTAIS...
mon repaire

JE FAIS, TU FAIS, IL FAIT...

Camouflage

Bateau pirate

Tente d'Indien

Château fort

Fusée

MON REPAIRE

207

CAMOUFLAGE

il te faut...

8 tuteurs en *bambou*, 4 longs
   et 4 plus courts
Grand tissu (de la taille
   d'un grand drap)
Papier crépon, tissu,
   feutrine et bristol :
   vert, jaune et bleu
Peinture
Pinceaux
Ficelle, 2 mètres
   environ
Crayon
Épingle de sûreté
Pinces à linge
Ciseaux cranteurs
Ciseaux

Demande
la permission
de coller les feuilles
sur le tissu, ainsi tu
pourras réutiliser
ta cachette.

Dissimule-toi
derrière ce camouflage
et observe secrètement
les oiseaux
et les animaux
de la forêt.

Choisis un tissu
de couleur foncée pour
simuler l'obscurité
d'un bois.

Couvre le tissu
avec des feuilles
de formes
et de couleurs
différentes.

réalise un camouflage

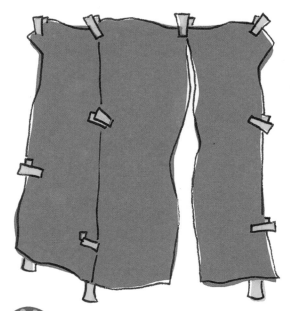

1 Enfonce 4 bambous dans le sol pour la structure. Attache les bambous plus petits avec de la ficelle comme sur le dessin.

2 Tends le tissu tout autour et mets des pinces à linge pour le maintenir en place. Laisse une ouverture pour l'entrée.

3 Découpe des feuilles dans du papier crépon, de la feutrine et du bristol, d'autres dans du tissu avec des ciseaux cranteurs.

4 Accroche les feuilles avec des épingles de sûreté. Ferme l'entrée avec des pinces à linge. Laisse un espace suffisant pour tes jumelles.

BATEAU PIRATE

il te faut...

3 boîtes en carton, 2 moyennes et une grande

Peinture et pinceaux

2 tubes en plastique ou rouleaux en carton

Balles de ping-pong

Petite poupée

Tissu ou bristol noir,
   environ 10 x 20 cm

Tissu ou papier blanc,
   environ 10 x 20 cm

3 tuteurs de jardin

Balai ou manche

2 taies d'oreiller

Carton, environ
   10 x 10 cm

Pelote de ficelle

Perforatrice

Cutter (attention!)

Aiguille à laine

Pinces à linge

Agrafeuse

Ciseaux

Colle

210

Termine à la peinture
ou aux feutres les finitions
sur le bateau, les drapeaux et les voiles...
si tu as la permission de dessiner
sur les taies d'oreiller!

Si tu
découpes
les drapeaux
dans du bristol noir,
colle-les au tuteur et
au mât. Évite de
les attacher.

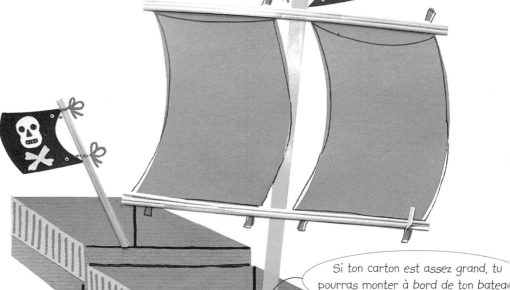

Si ton carton est assez grand, tu
pourras monter à bord de ton bateau.

Peins
les canons en noir
à l'extérieur et en gris
à l'intérieur.

Remonte
l'ancre en la
hissant à
l'intérieur du
bateau.

construis un bateau pirate

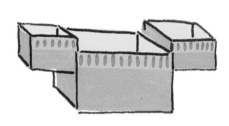

1 Agrafe les 2 petits cartons de chaque côté du gros carton, comme sur le dessin. Peins le bateau de tous les côtés.

2 Peins les rouleaux en noir. Découpe deux trous dans le gros carton avec un cutter, assez larges pour y enfoncer les rouleaux. Peins les balles de ping-pong en noir.

3 Découpe une ancre dans du carton et peins-la en noir. Fais un trou pour passer une ficelle. Accroche l'autre extrémité de la ficelle dans le bateau.

4 Fais deux trous à l'avant du bateau avec une aiguille. Passe la ficelle autour de la poupée, puis dans les trous. Fais un nœud à l'intérieur du bateau.

5 Confectionne deux drapeaux de pirate. Fais deux trous dans chaque drapeau. Attache-les au mât et à l'arrière du bateau.

6 Attache deux tuteurs au manche du balai, comme sur le dessin. Mets des pinces à linge pour retenir les taies d'oreiller de chaque côté du mât.

TENTE D'INDIEN

il te faut...

3 longs tuteurs en bambou

Ficelle, 1 mètre environ

Grand tissu, vieux drap par exemple

Peinture pour tissu et pinceaux

42 bandes de tissu ou de ruban de

   15 cm de long environ

Crayon

Fil à coudre

Aiguille

Ciseaux cranteurs

Attache des rubans colorés au sommet de la tente pour compléter la décoration.

Coupe le tissu avec des ciseaux cranteurs pour éviter qu'il ne s'effiloche.

Mets ta coiffe d'Indien sur la tête et ta pochette autour du cou, et invite tes amis à palabrer sous la tente!

Ta tente n'est pas imperméable, alors ne la laisse pas dans le jardin!

monte la tente

① Attache les trois bambous fermement en pyramide avec de la ficelle.

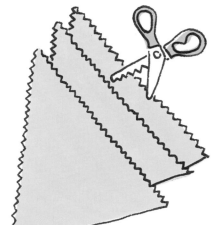

② Découpe trois triangles de tissu identiques, de même longueur que les tuteurs.

③ Coupe une fente dans un des triangles, en partant du milieu du tissu jusqu'à la moitié de sa hauteur.

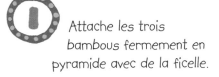

④ Couds trois rubans de chaque côté de l'ouverture de la tente. Couds six rubans, placés à distances égales, comme sur le dessin.

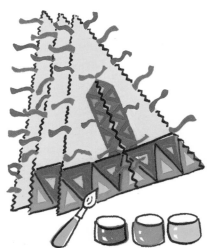

⑤ Dessine une bordure au crayon dans la partie inférieure de la tente et autour de l'entrée. Peins cette bordure avec des couleurs vives.

⑥ Enfonce les tuteurs dans le sol (demande à un adulte de t'aider). Attache la toile aux tuteurs.

CHÂTEAU FORT
il te faut...

Grand carton
4 rouleaux en carton (essuie-tout)
Carton, 15 x 15 cm environ
Bristol, 20 x 30 cm environ
Peinture et pinceaux
4 tuteurs de jardin
Ficelle, environ 40 cm

Feutres
Cutter (attention !)
Ruban adhésif double face (facultatif)
Aiguille à laine
Ciseaux
Colle

Place ton château sur un drap ou une couverture bleu, et baisse le pont-levis pour franchir les fossés !

Découpe les drapeaux dans du bristol de couleur et ajoute l'emblème de ton choix.

Souligne les contours des créneaux au feutre.

Monte et descends le pont-levis de l'intérieur du château en tirant ou relâchant la ficelle.

Peins la porte en bleu avant d'ajouter la herse. Dessine-la au feutre.

construis un château

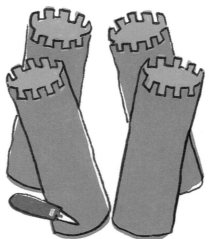

1 Découpe des créneaux tout autour du château avec le cutter (demande à un adulte de t'aider).

2 Découpe des créneaux au sommet des rouleaux d'essuie-tout.

3 Colle les rouleaux à chaque angle du carton (ou prends du ruban adhésif double face).

4 Peins le château en suivant les couleurs sur le dessin : rouge pour l'arche de la porte et les meurtrières, bleu pour les fenêtres et noir pour les créneaux.

5 Coupe un carton aux dimensions de la herse. Replie-le sur environ 1 cm. Colle-le sous la porte. Passe la ficelle dans une aiguille à laine. Traverse le pont-levis, l'arche et retour de l'autre côté. Fais un nœud.

6 Dessine et peins 4 drapeaux. Colle-les au bout des tuteurs. Attache chaque drapeau à l'intérieur des tours.

FUSÉE

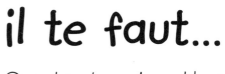

il te faut...

Grand carton gris ou blanc
assez grand pour que tu puisses
t'asseoir dedans

2 rouleaux en
carton

Bristol fin, environ
50 x 50 cm

Carton ondulé,
environ 8 x 30 cm

Papier de soie ou
cellophane jaune,
rouge ou orange

Peinture

Pinceaux

Autocollants

Feutres

Ruban adhésif

Ficelle

Aiguille à laine

Ciseaux

Colle des flammes
jaunes et orange
en papier de soie
ou cellophane.

Mets
des rangées
d'autocollants argentés
sur les ailes des
propulseurs.

Colle des
autocollants
ronds sur
des étiquettes
rectangulaires
pour imiter
un vrai tableau
de bord.

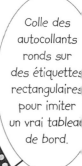

Peins
l'intérieur
des boosters
en noir.

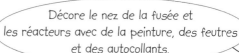

Décore le nez de la fusée et
les réacteurs avec de la peinture, des feutres
et des autocollants.

fabrique une fusée

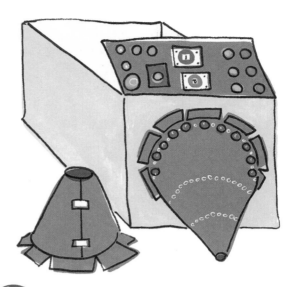

1 Coupe les rabats du carton. Garde un rabat à l'avant pour le tableau de bord. Colle des autocollants et dessine les boutons de commande.

2 Découpe un grand et un petit demi-cercle dans du bristol. Colle-les en cônes. Coupe la pointe du petit cône. Coupe des languettes à la base des cônes. Replie-les. Colle le grand cône à l'avant du carton, et le petit à l'arrière. Peins-les.

3 Peins les rouleaux comme des propulseurs de fusée. Attache deux ficelles en faisant des trous dans le carton pour passer la ficelle.

4 Peins le carton ondulé pour les volets latéraux des boosters. Colle des bandes de papier de soie ou cellophane dans les propulseurs et dans la queue de la fusée.

MON REPAIRE

2l7

ET SI J'ÉTAIS...
guignols

JE FAIS, TU FAIS, IL FAIT...

Serpent
ondulant

En accordéon

Au bout
des doigts

Cuillères en bois

Chaussettes

219

SERPENT ONDULANT

il te faut...

Pour le serpent

Rouleaux de carton

Papier de couleur

Peinture et pinceaux

Autocollants

Ficelle et laine, 1 mètre environ

2 courtes baguettes ou tuteurs

2 perles

Aiguille à laine

Ciseaux

Colle

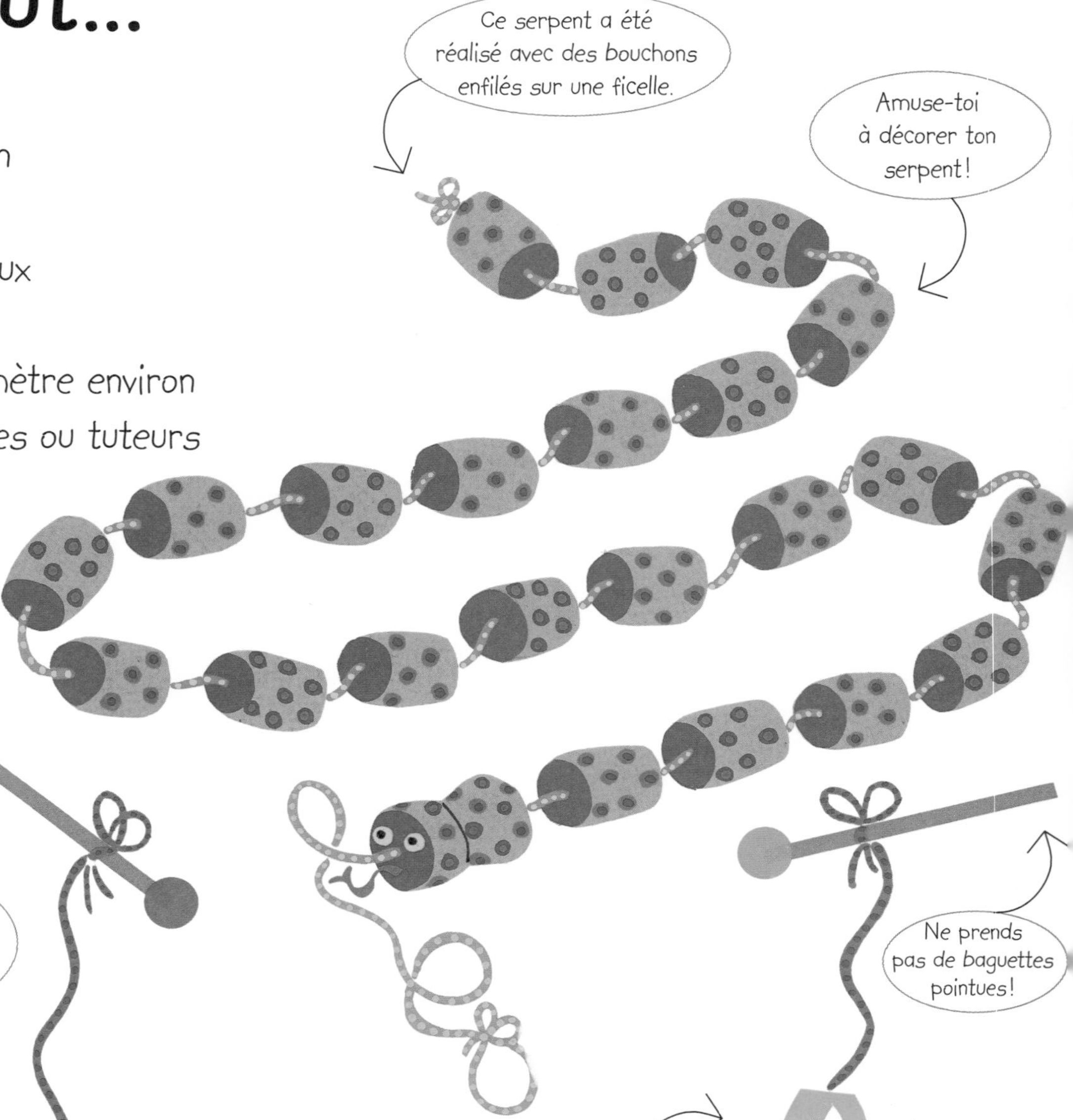

Ce serpent a été réalisé avec des bouchons enfilés sur une ficelle.

Amuse-toi à décorer ton serpent!

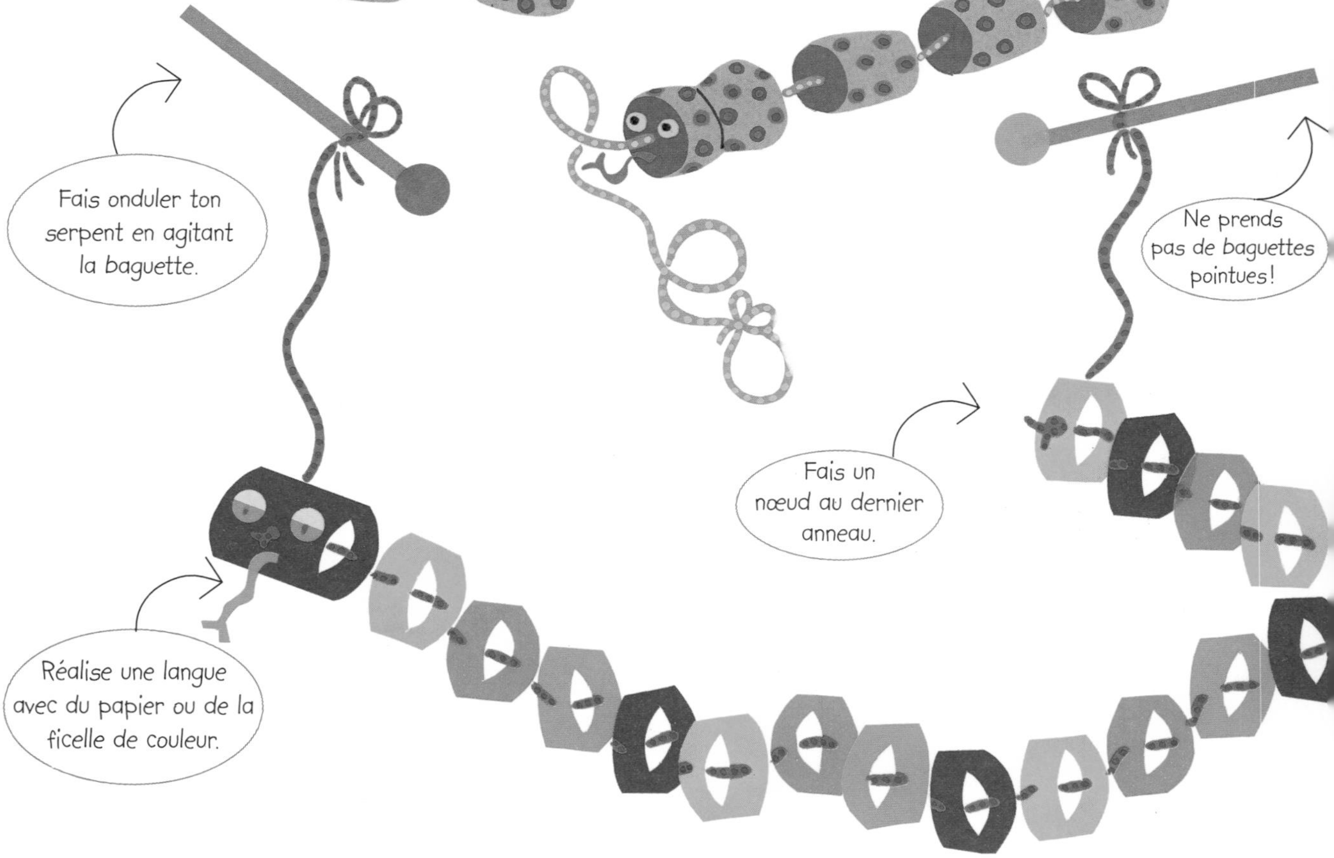

Fais onduler ton serpent en agitant la baguette.

Ne prends pas de baguettes pointues!

Fais un nœud au dernier anneau.

Réalise une langue avec du papier ou de la ficelle de couleur.

220

crée un guignol ondulant

Serpent

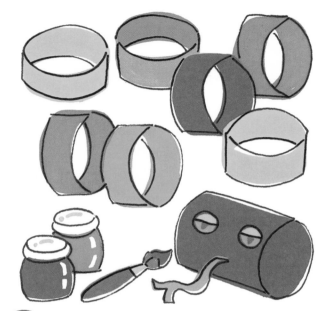

1 Découpe le rouleau en anneaux de 3 cm de large pour le corps du serpent. Coupe un anneau plus large pour la tête.

2 Peins et décore les anneaux à l'intérieur et à l'extérieur. Sur la tête, peins les yeux (ou colle des gommettes) et colle une langue en ficelle ou en papier.

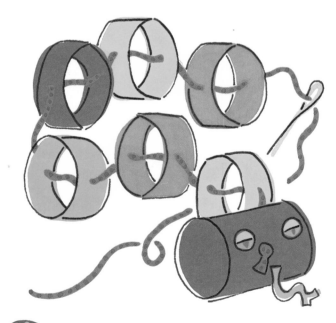

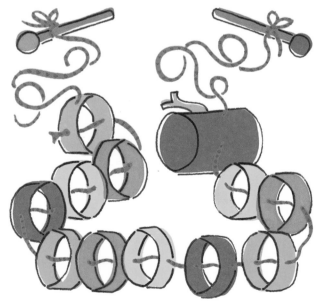

3 Avec l'aiguille à laine, passe la ficelle dans la tête du serpent puis dans les anneaux. Fais un nœud.

4 Colle une perle à chaque extrémité des baguettes. Attache une ficelle à chaque baguette, une à la tête et l'autre à la queue.

EN ACCORDÉON

il te faut...

Bristol fin, environ 75 × 70 cm pour la figure,
  le corps, les bras et les jambes
Carton, environ 36 × 8 cm
  pour les épaules
Papier de différentes
  couleurs
Peinture
Pinceaux
Autocollants
Ficelle ou laine
Laine ou raphia
Ruban adhésif
Feutres
Ciseaux
Colle
  ou agrafeuse

Dessine des taches de rousseur au feutre.

Découpe un nez dans du bristol fin et colle-le sur la figure.

Colle du papier sur du bristol pour la jupe.

Décore les chaussures avec des autocollants.

Perce un trou dans la chaussure et passe un lacet ou un brin de laine. Fais une boucle.

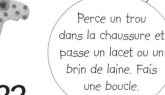

222

réalise un guignol en accordéon

1 Prends une feuille de bristol de 20 x 60 cm. Peins le pull, le short ou la jupe. Plie le bristol en accordéon en faisant des plis de 5 cm.

2 Découpe les bras et les mains, les jambes avec les chaussures dans du bristol (dessine le contour de tes membres). Peins et décore les manches, les chaussettes et les chaussures.

3 Découpe une tête de même largeur que le corps. Dessine la bouche, les yeux et les taches de rousseur. Colle de la laine ou du raphia pour les cheveux.

4 Colle ou agrafe les jambes au corps, la tête, les bras et le corps aux épaules. Pour transporter facilement ta marionnette, attache une boucle de ficelle derrière la tête.

GUIGNOLS

223

AU BOUT DES DOIGTS

il te faut...

Pour le léopard

Feutrine orange, environ 15 x 15 cm

Feutrine jaune, environ 7 x 5 cm

Feutrine noire (chute)

2 petits boutons

Feutres

Gommettes ou
 autocollants ronds
 jaunes et orange

Cure-pipes ou paille

Fil à coudre noir ou
 jaune

Aiguille

Ciseaux cranteurs

Colle

Prends des gommettes ou des autocollants pour faire les taches du léopard.

La bouche du léopard est tout simplement cousue au point arrière avec du fil à broder noir.

Les antennes sont des petites boucles en plastique terminées par une perle

La tête du panda est en feutrine blanche avec des oreilles et des yeux noirs.

Confectionne un hibou tout fou avec du croquet et un trombone à la place du bec.

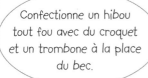

JE FAIS, TU FAIS, IL FAIT...

224

crée un guignol pour tes doigts

Léopard

① Découpe deux morceaux de feutrine orange aux ciseaux cranteurs et deux petites oreilles jaunes.

② Couds deux boutons pour les yeux sur une des moitiés de feutrine orange. Colle un petit nez noir et brode la bouche (voir page 247).

③ Place les oreilles au sommet de la tête entre les deux parties orange. Couds les deux parties orange au point de devant (voir page 247).

④ Colle des gommettes ou des autocollants pour faire les taches du léopard ou dessine-les au feutre. Prends des cure-pipes ou de la paille pour les moustaches.

GUIGNOLS

225

CUILLÈRES EN BOIS

Boucle d'Or a des cheveux en laine jaune, tressés, collés et attachés avec des rubans.

Le lion a une crinière de raphia ou de laine.

Fais-lui une jolie robe avec une encolure coulissante.

Des oreilles en bristol et un nœud papillon en tissu !

Colle du tissu sur le chapeau en bristol, puis pose-le sur la chevelure en laine de la sorcière

il te faut...

Pour Leonardo le lion

Cuillère en bois

2 petits boutons

Peinture et pinceaux

Feutres

Papier orange et jaune

Brins de laine jaune et marron

Ficelle et raphia

Feutrine jaune et marron

Colle

Ciseaux

Le raphia convient aussi parfaitement aux cheveux de la sorcière.

réalise un guignol-cuillère en bois

Leonardo

1 Colle des boutons pour les yeux et un nez en feutrine marron dans la partie creuse de la cuillère. Dessine la bouche au feutre.

2 Découpe une crinière en zigzag dans du papier orange et colle-la derrière la cuillère. Découpe des oreilles dans du papier jaune. Colle-les.

3 Pour la crinière, colle des brins de laine jaune et marron, du raphia et de la ficelle.

4 Colle des moustaches en feutrine jaune. Peins des rayures jaunes et orange sur le manche.

GUIGNOLS

227

CHAUSSETTES

il te faut...

Pour boucle d'or

Chaussette

Laine, brins de 36 cm de long

Laine, brins de 5 cm de long

Ruban, 30 cm environ

2 petits boutons

2 ronds de tissu

Fil à coudre

Aiguille

Colle

Boucle d'Or a les joues bien rouges découpées dans du tissu.

Colle des oreilles en feutrine de différentes formes.

Les ballons sont parfaits pour des oreilles pendantes!

Le dragon a une crête en feutrine, coupée en zigzag sur la tête et le long du cou.

La souris a une queue en ficelle et des moustaches en laine.

réalise une chaussette-guignol

Boucle d'Or

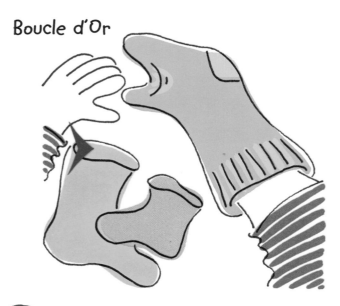

① Enfile ta main dans la chaussette. Tes articulations doivent être à la hauteur du talon. Marque l'emplacement des yeux. Retire la chaussette.

② Couds une frange en laine. Pour les tresses, pose des brins plus longs de longueurs égales. Couds la laine au sommet de la tête.

③ Couds ou colle des boutons pour les yeux.

④ Colle le rond de tissu sur chaque joue, ou prends des autocollants.

GUIGNOLS

ET SI J'ÉTAIS...
changeons de tête

POUR LE GOÛTER

il te faut...

Pour la théière

Bristol épais, environ 60 cm de côté

Bristol fin, environ 5 x 40 cm

Tissu, 2 bandes d'environ 5 x 30 cm

Peinture

Pinceaux

Agrafeuse

Ciseaux

Colle

Tu peux obtenir des effets superbes en collant du papier d'emballage sur du bristol.

Les bretelles peuvent aussi être découpées dans du bristol fin et agrafées de chaque côté.

Découpe et décore un gâteau dans sa caissette pour habiller ton frère ou ta sœur.

Porte la poignée du couvercle comme un chapeau.

Ces gâteaux décorés auront l'air délicieux !

Dessine un couvercle sur la théière.

crée ton costume de goûter

Théière

1 Découpe deux formes de théière dans une grande feuille de bristol. Découpe un petit rond en deux pour la poignée du couvercle.

2 Décore les côtés extérieurs de la théière et le couvercle.

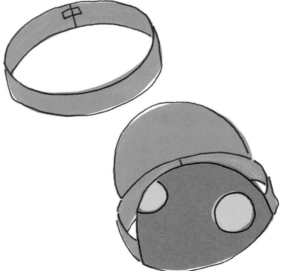

3 Agrafe les deux bandes pour les épaules, puis la seconde moitié de la théière. Laisse un espace suffisant entre les deux bandes pour la tête.

4 Pour la poignée du couvercle, agrafe une bande de bristol fin et ajuste-le à ton tour de tête. Colle un demi-cercle devant et un derrière. Décore les deux moitiés.

CHANGEONS DE TÊTE

233

COURONNE ROYALE

Trace des motifs sur le papier aluminium avec un stylo à bille sec.

Une feuille d'aluminium doré collée à du carton donne une fabuleuse couronne.

Ajoute des autocollants scintillants pour sertir la couronne de somptueux joyaux.

il te faut...

Bristol fin, environ 25 x 15 cm

Papier métallisé doré, environ 25 x 15 cm

Élastique ou ruban, environ 50 cm

2 petits autocollants carrés

Pâtes alimentaires, différentes formes

Peinture ou marqueur or

Peinture ou marqueur argent

Pinceaux

Papiers de bonbons brillants

Paillettes

Autocollants ou gommettes

Perforatrice

Ciseaux

Colle

234

réalise une couronne royale

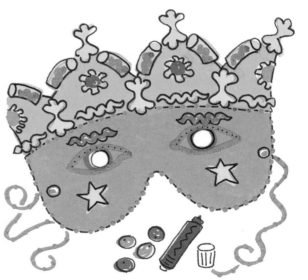

1 Découpe le masque dans du bristol fin et la couronne dans du papier métallisé doré. Colle la couronne sur le masque.

2 Découpe des ronds pour les yeux. Colle un autocollant de chaque côté du masque. Fais un trou avec la perforatrice.

3 Peins les pâtes en doré ou argenté (tu peux aussi utiliser les marqueurs). Colle les pâtes sur la couronne et au-dessus des yeux.

4 Décore le masque et la couronne avec des paillettes, des papiers de bonbons et des autocollants. Ajoute les détails au marqueur. Passe un élastique de chaque côté du masque.

235

MASQUE EN PAPIER MÂCHÉ

il te faut...

Pour la vache

Ballon gonflable

Vaseline

Journaux déchirés en bandelettes

Journal, roulé et agrafé

Boîte à œufs

Carton, environ 10 x 25 cm

Gouache ou bombe
   de peinture blanche

Papier de soie
   marron, rouge,
   orange, rose,
   jaune, vert

Raphia ou ficelle

Élastique,
   environ 50 cm

Ruban adhésif

Ciseaux

Colle diluée à l'eau

236

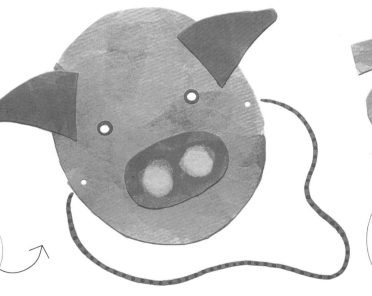

Prends du papier de soie rose pour le nez et les oreilles de la vache.

La queue de la vache est faite avec un vieux journal roulé.

Colle le bouton d'or à l'emplacement de la bouche.

Découpe les oreilles et le nez du cochon identiques à ceux de la vache, mais tourne les oreilles dans l'autre sens!

Découpe une queue en tire-bouchon dans du bristol et recouvre-la de papier de soie rose.

crée un masque en papier mâché

Vache

1 Enduis le ballon de vaseline. Trempe les bandelettes de papier journal dans la colle puis applique-les sur la moitié du ballon. Superpose une dizaine de couches. Laisse sécher. (Voir page 245).

2 Fixe deux godets d'une boîte à œufs avec du ruban adhésif. Applique des bandes de papier journal sur le groin.

3 Perce le ballon. Arrondis les bords du masque. Fais deux trous pour les yeux. Peins le masque en blanc.

4 Déchire du papier de soie en petits morceaux. Trempe-le dans la colle et applique-le sur le nez et les oreilles. Laisse sécher.

5 Colle une frange de raphia. Fais deux trous de chaque côté du masque. Attache l'élastique dans les trous.

6 Colle du papier jaune sur une fleur en carton. Colle du papier sur la queue et attache un toupet de raphia au bout.

DRÔLES DE LUNETTES

il te faut...

Pour les lunettes de star

Bristol fin de couleur,
environ 4 x 70 cm

Bristol fin de couleur,
environ 15 x 10 cm

Papier de soie de couleur, petits
bouts

2 cure-pipes de couleur

Perles de couleurs
différentes

Autocollants ou
gommettes

Feutres

Trombones

Agrafeuse

Fil à coudre

Aiguille

Ciseaux

Colle

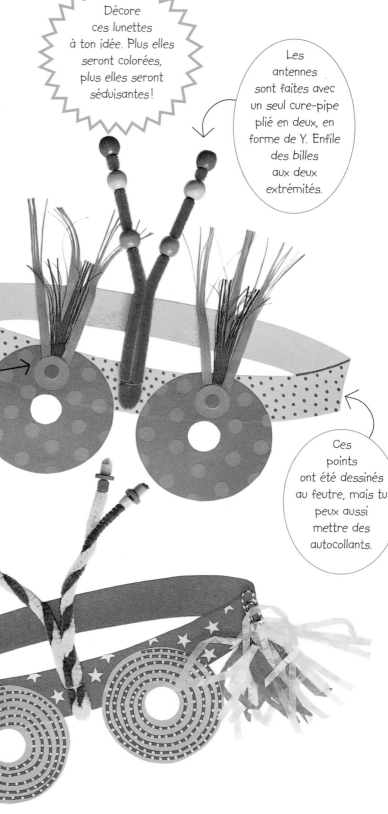

Décore ces lunettes à ton idée. Plus elles seront colorées, plus elles seront séduisantes!

Les antennes sont faites avec un seul cure-pipe plié en deux, en forme de Y. Enfile des billes aux deux extrémités.

Ces toupets de ruban en papier sont fixés par des autocollants.

Ces points ont été dessinés au feutre, mais tu peux aussi mettre des autocollants.

fabrique de drôles de lunettes

Étoiles

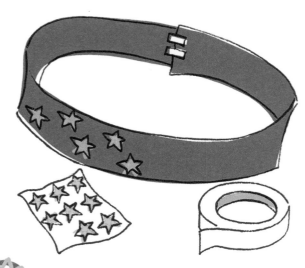

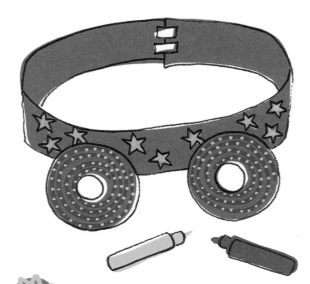

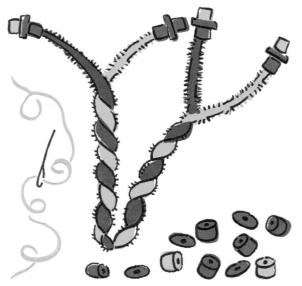

1 Prends une bande de bristol et ajuste-le à ton tour de tête. Agrafe-le. Décore-le avec des étoiles.

2 Découpe deux ronds dans du bristol d'environ 7 cm de diamètre. Découpe des trous au centre. Dessine des spirales sur les yeux au feutre. Colle-les sur le bandeau.

3 Attache deux petits toupets de papier de soie aux trombones. Colle les trombones de chaque côté du bandeau.

4 Entortille deux cure-pipes ensemble comme sur le dessin. Enfile des perles aux extrémités. Plie les cure-pipes en deux et colle-les entre les yeux.

239

MASQUE SAUVAGE

il te faut...

Pour le tigre

Carton de taille moyenne

Bristol fin, d'environ 10 x 20 cm

Raphia, feutrine ou ficelle

Élastique, environ 25 cm

Peinture et pinceaux

Feutres

Cutter (attention!)

Crayon

Ruban adhésif

Perforatrice

Ciseaux

Colle

Demande à un adulte de t'aider à découper les yeux et le nez au cutter.

Colle des bandes de papier de couleur pour la crinière du lion.

Colle des oreilles en tissu ou en feutrine sur la crinière.

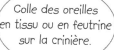

Ajoute les détails de la figure au feutre.

réalise un masque sauvage

Tigre

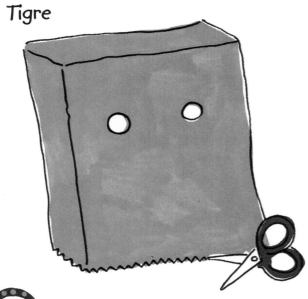

① Découpe l'arrière et le fond du carton. Fais deux trous assez grands pour les yeux. (Demande à un adulte de t'aider.)

② Dessine le nez, la bouche et le contour des yeux au feutre. Dessine la robe du tigre au crayon, puis peins-la. Découpe le nez si tu veux.

③ Découpe deux oreilles dans du bristol. Fais deux fentes dans le carton pour les oreilles. Replie une languette sur 1 cm au bas de chaque oreille. Glisse-les dans les fentes. Colle-les avec du ruban adhésif.

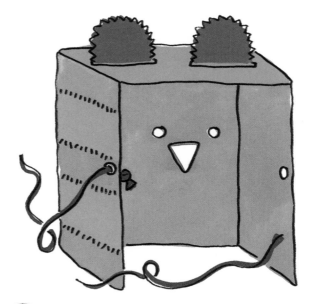

④ Colle des moustaches en raphia, feutrine ou ficelle. Fais un trou de chaque côté de la boîte. Attache un élastique dans chaque trou.

241

pâtes et trucs

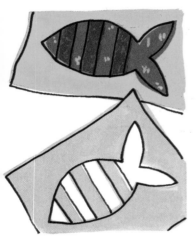

Fabriquer un patron

Fabriquer du papier mâché

Confectionner un cône

Sécher des tranches d'orange

Trois points simples

Utiliser de la toile thermocollante

Confectionner un plumet

Fabriquer un pompon

Découper un pochoir

Faire la pâte à sel

fabriquer un patron

① Décalque un dessin (ici un lapin) avec du papier-calque et un crayon gras. Attention, ne bouge pas le papier!

② Place le papier-calque côté dessin sur du bristol. Frotte doucement sur l'envers de ton dessin avec un crayon.

③ Découpe le modèle transcrit sur le bristol. Ce modèle sera orienté dans l'autre sens.

④ Place le patron sur le tissu et dessine tout autour. Tu pourras le réutiliser autant de fois que tu veux.

244

fabriquer du papier mâché

① Déchire des petits bouts de papier journal. Mélange la colle avec de l'eau, ou prends de la colle à papier peint.

② Enduis le ballon de vaseline. Applique un bout de papier journal sur le ballon avec un pinceau et de la colle.

③ Couvre toute la surface du ballon sur plusieurs couches. Laisse sécher quelques jours. Éclate le ballon. Peins et vernis le papier mâché.

Pâte de papier mâché

① Pour faire de la pâte, mélange les bandes de papier journal dans la colle diluée. Pétris-les. Tu pourras ensuite travailler cette pâte comme de la pâte à modeler. Laisse sécher pendant quelques jours avant de peindre et de vernir.

PÂTES ET TRUCS

confectionner un cône

sécher des rondelles d'orange

1 Découpe un rond dans du bristol. Plus le rond est grand et plus le cône sera pointu. Découpe un quart du rond comme sur le dessin. Tu peux aussi couper simplement le rayon du cercle.

1 Coupe une orange en tranches fines avec un couteau bien aiguisé. Demande à un adulte de t'aider.

2 Fais chevaucher les bords du rond. Plus ils se chevaucheront et plus le cône sera pointu. Agrafe ou mets du ruban adhésif pour maintenir les bords.

2 Place les rondelles d'orange séparément sur une plaque. Fais-les sécher au four à 100 °C (Thermostat 1/4). Ne les laisse pas brûler!

trois points simples

Pour commencer

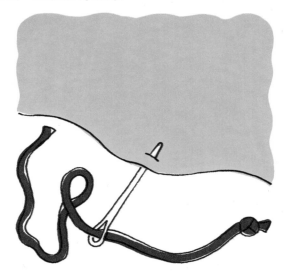

Passe le fil dans l'aiguille et fais un nœud au bout. Commence à l'envers du tissu et traverse avec l'aiguille du bon côté.

Point de croix

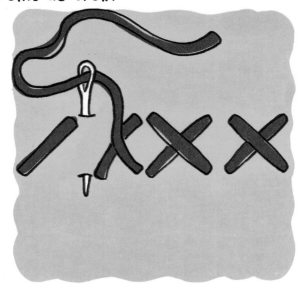

Exécute une rangée de points réguliers en diagonale. Travaille ensuite en sens inverse, en exécutant les points par-dessus les premiers.

Point de devant

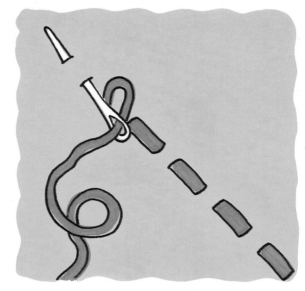

En commençant à l'envers du tissu, passe l'aiguille du bon côté. Exécute ensuite des points réguliers en passant l'aiguille sous et sur le tissu.

Point en étoile

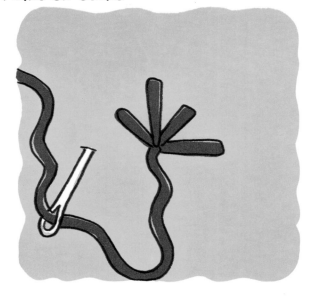

Exécute un ensemble de points, en partant d'un point central vers l'extérieur. Ramène l'aiguille au centre en passant sous le tissu.

utiliser de la toile thermocollante

1 Place le côté thermocollant sur l'envers du tissu que tu vas utiliser. Demande à un adulte de t'aider. Pose le fer sur le papier et appuie de 3 à 5 secondes.

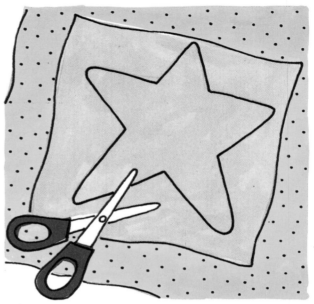

2 Découpe le modèle que tu as choisi (ici une étoile) dans le tissu.

3 Retire le papier protecteur de la toile thermocollante.

4 Place soigneusement l'étoile (côté collant) sur un autre morceau de tissu ou un tee-shirt. Repasse l'étoile pour qu'elle se colle sur le tissu. (Demande à un adulte de t'aider.)

confectionner un plumet

Plumet de laine

1 Enroule de la laine, du raphia ou de la ficelle quatre fois autour d'un rectangle de carton. Plus la carte est large et plus le plumet sera long. Coupe la laine qui dépasse.

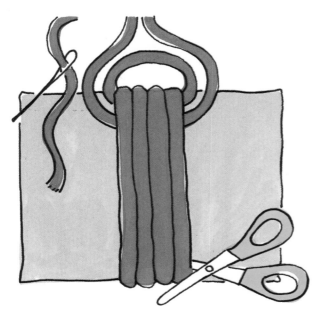

2 Passe une aiguille avec de la laine deux fois sous les brins de laine dans la partie supérieure du carton. Fais un nœud bien serré. Coupe la laine dans la partie inférieure du carton.

Plumet de papier

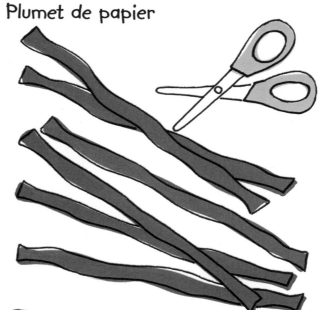

1 Pour faire un plumet de papier, coupe du papier de soie en longues bandes étroites de même largeur et de même longueur.

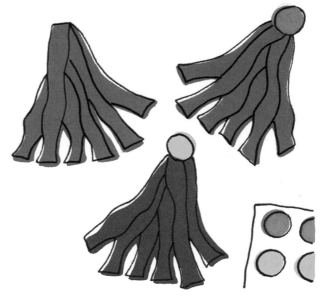

2 Prends plusieurs bandes, plie-les en deux. Colle une gommette ou un autocollant sur le pli et fixe-le à l'endroit voulu.

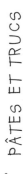

PÂTES ET TRUCS

249

fabriquer un pompon

① Prends deux tasses de diamètre différent, et dessine un grand rond et un plus petit au milieu dans un carré de bristol plié en deux. Découpe les deux ronds.

② Place les deux ronds l'un sur l'autre et enroule de la laine tout autour. Travaille lentement et couvre tout le bristol.

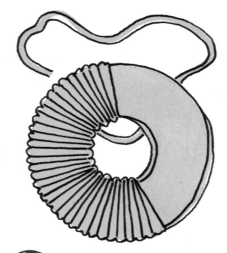

③ Continue à enrouler la laine jusqu'à ce que le trou au centre devienne tout petit. À la fin, tu auras besoin d'une aiguille.

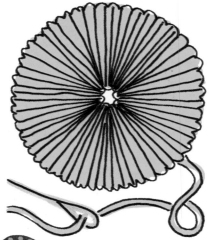

④ Lorsque le trou est complètement rempli, passe une lame des ciseaux entre les deux ronds de bristol. Coupe la laine tout autour des ronds.

⑤ Passe un brin de laine entre les deux ronds de bristol. Fais un nœud solide. Déchire les deux ronds de bristol.

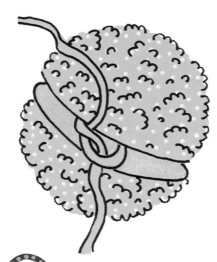

⑥ Fais bouffer ton pompon pour cacher le brin de laine au milieu. Pour un pompon de plusieurs couleurs, enroule de la laine de couleurs différentes en suivant les étapes 2 et 3.

250

découper un pochoir

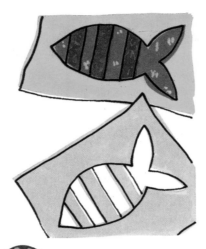

1 Pour confectionner un pochoir, commence par dessiner ton modèle (ici un poisson) sur du bristol. Découpe-le. Tu ne gardes que la forme évidée.

2 Pour confectionner un poisson rayé, laisse des bandes de bristol.

3 Colle le pochoir sur la surface que tu veux décorer (ici un pot de fleur). Le pochoir ne doit pas bouger.

4 Verse un peu de peinture dans un couvercle ou une assiette. Trempe une éponge dans la peinture, essuie-la pour que la peinture ne coule pas. Tapote le pochoir avec l'éponge.

5 Compose la couleur de ton choix. Laisse sécher puis retire le pochoir.

6 Pour un pochoir à réaliser en deux temps, comme ce papillon, fabrique les ailes en suivant les étapes 3 à 5. Laisse sécher. Applique le second pochoir du corps sur le premier, puis mets la couleur.

PÂTES ET TRUCS

251

faire la pâte à sel

① Mélange trois tasses de farine, une tasse de sel et un filet d'huile dans un bol. Ajoute une tasse d'eau pour faire une pâte. Si elle colle, ajoute un peu de farine. Si elle est trop sèche, ajoute un peu d'eau.

② Pétris la pâte, jusqu'à ce qu'elle se détache du bol. La pâte à sel se garde pendant plusieurs jours dans un sac plastique bien fermé.

③ Roule la pâte, ou donne-lui la forme que tu veux. Saupoudre un peu de farine sur la surface de travail pour que la pâte ne colle pas. Tu peux coller différents sujets ensemble avec de l'eau.

④ Place la pâte sur une plaque à gâteau. Fais cuire un gros sujet, un personnage par exemple, à 100 °C (Thermostat 1/4) pendant 2-3 heures, un sujet plus fin à 150 °C (Thermostat 2) pendant 1/2 heure.

⑤ Tapote derrière le sujet refroidi. Si la pâte sonne creux, elle est sèche, sinon remets-la au four.

⑥ Lorsque la pâte à sel est refroidie, tu peux la peindre et la vernir.

252

patrons

Avions

p. 34

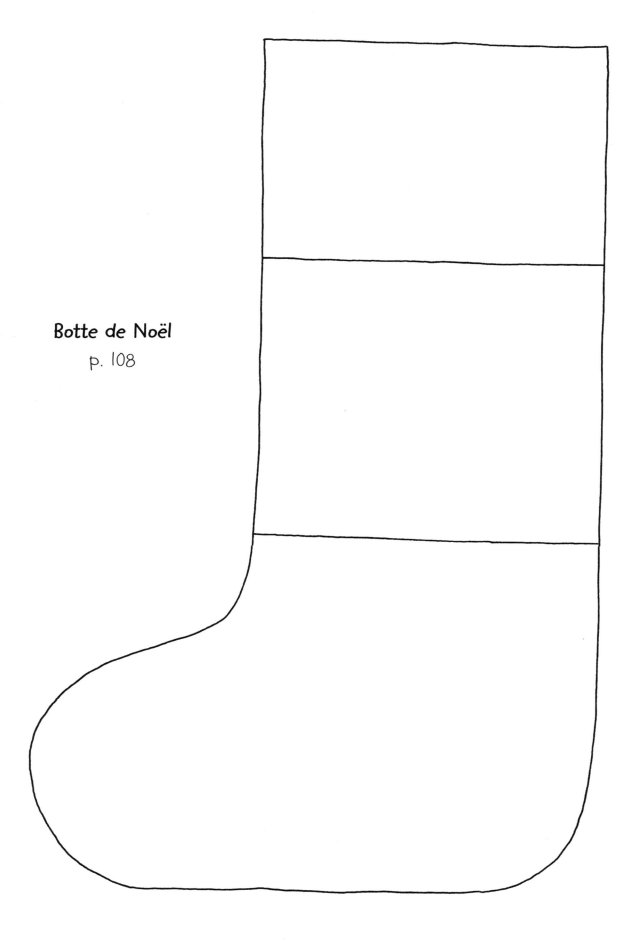

Botte de Noël

p. 108

JE FAIS, TU FAIS, IL FAIT...

index

JE FAIS, TU FAIS, IL FAIT...